Volume 3

THE ALEXANDER DISCIPLINE
UNUSUAL AND DIFFICULT CASES

알렉산더의 원리(Part Ⅲ) : 특이하고 어려운 증례들

지은이 | R. G. "Wick" Alexander, DDS, MSD

옮긴이 | 박현정, 정도민, 박영국, 정규림, 김성훈

군자출판사

알렉산더의 원리(Part III)

The Alexander Discipline Unusual and Difficult Cases

첫째판인쇄 2017년 1월 2일
첫째판발행 2017년 1월 10일

지 은 이 R.G. Wick Alexander
옮 긴 이 박현정, 정도민, 박영국, 정규림, 김성훈
발 행 인 장주연
출 판 기 획 김도성
편집디자인 김영선
표지디자인 이상희
발 행 처 군자출판사
　　　　　등록 제4-139호(1991. 6. 24)
　　　　　본사(10881) **파주출판단지** 경기도 파주시 회동길 338(서패동 474-1)
　　　　　전화 (031)943-1888　팩스 (031)955-9545
　　　　　홈페이지 | www.koonja.co.kr

ⓒ 2017 Quintessence Publishing Co, Inc
Quintessence Publishing Co, Inc
4350 Chandler Drive
Hanover Park, IL 60133
www.quintpub.com

Cover design and production: Angelina Sanchez

ISBN 979-11-5955-095-9

정가 120,000원

CONTENTS

The Alexander Discipline Unusual and Difficult Cases

박 현 정 원장

부산대학교 치과대학 졸업

부산대학교 치의학 석사 및 박사

New York University 교정과 레지던트 수련

인제대학교 해운대백병원 외래교수

American Board of Orthodontics (ABO) 공인 미국치과교정전문의

한국알렉산더교정연구회 회장/ 코스 디렉터

뉴욕스마일치과의원 원장

정 도 민 선생

경희대학교 치과대학 졸업

경희대학교 치의학 석사

전) 국립중앙의료원 치과 과장

Saint Louis University 교정과 방문 연구원

Eustaquio A. Araujo, Peter H. Buschang.

　『Recognizing and Correcting Developing Malocclusion』 역자

국립중앙의료원 치과 Faculty.

박 영 국 교수

경희대학교 치과대학 졸업

경희대학교 치의학 석사 및 박사

경희대학교 경영학 석사

전) 경희대학교 치과대학 교정학교실 주임교수 및 치과병원 교정과 과장

전) 대한치과교정학회 회장

Harvard School of Dental medicine 객원 조교수

일본 오사카치대 객원교수

경희대학교 치과병원장

경희대학교 치의학전문대학원장

PROFILE

정 규 림 교수

경희대학교 치과대학 졸업
경희대학교 치의학 석사 및 박사
전) 경희대학교 치과대학 교정학교실 주임교수 및 치과병원 교정과 과장
전) 대한치과교정학회 회장
University of California Los Angeles(UCLA) 방문교수
일본 오사카치대 객원교수
전) 아주대학교 치과학교실 주임교수 및 임상치과학 대학원장
한국급속교정연구회 회장
한림대 강동성심병원 치과 교수

김 성 훈 교수

경희대학교 치과대학 졸업
경희대학교 치의학 석사
서울대학교 치의학 박사
경희대학교 치과대학 교정과 교수
University of California SanFrancisco(UCSF) 교정과, Saint Louis University
　　교정과 외래교수
National Hospital of Odontology and Stomatology in HCMC, Vietnam 교정과
　　외래교수
경희대학교 치과대학 교정학교실 주임교수 및 치과병원 교정과 과장

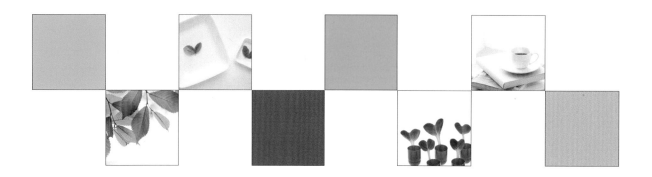

헌사

"영원한 것은 없다"라고 셰익스피어는 말했습니다. 교정학이라는 전문분야가 진화를 거듭함에 따라, 환자의 건강과 안녕을 위해 합당한 그리고 최선의 치료가 무엇인가 하는데 교정학의 초점이 맞춰지기를 나는 간절히 바랍니다. 그러므로 이 책을 미래의 교정의사들에게 바칩니다. "당신이 발견한 세상보다 더 좋은 세상을 만들기" 위한 당신의 능력에 성공이 뒤따른다는 것을 항상 기억하십시오. 나는 치료의 질에 관해 말하고 있습니다. 우리의 전문분야가 교정치료 역학의 새로운 가능성에 대해 점점 더 많은 것을 배울수록 치료의 초점은 계속해서 환자를 위한 최선의 방법이 되어야만 합니다. 환자의 문제점을 다루고 양질의 치료 결과를 만들어 내는 우리 자신의 능력에 의해 환자의 치료가 결정되므로 우리는 지속적으로 환자에게 헌신해야만 합니다. 지금까지 나는 멋진 여정을 거쳐왔으며, 이제 바통은 미래의 교정의사인 당신에게 넘겨지고 있습니다. 최선의 노력을 다 하십시오. 그래서 언젠가 당신도 웃으며 다음 세대에게 바통을 넘겨 줄 수 있게 되기를 바랍니다.

역자 서문

치과 교정학 역사의 거대한 획을 긋고 계신 R.G. Wick Alexander 선생님의 『The 20 principles of the Alexander Discipline』과 『Volume 2. The Alexander Discipline: Long Term Stability』 번역에 이어 『Volume 3. The Alexander Discipline: Unusual and Difficult Cases』를 번역하게 되어 매우 기쁘고 영광스럽게 생각합니다.

경희치대 교정학교실에 외래교수로 부임하신 2012년 이후 매년 노구를 이끌고 교정과 제자들에게 직접 당신의 치료철학을 열강을 통해 나눠주시는 모습에 존경심을 가지게 됩니다. Alexander 교수님의 이번 저서에서는 Alexander 원리가 단순하므로 교정치료의 기초를 모르는 임상가들도 쉽게 따라할 수 있을거라는 잘못된 믿음에 대해 경고를 하고, 철저하게 원칙을 따르고 각 단계의 한계점을 이해하는데 많은 설명을 할애하고 있습니다.

일반적인 증례에서 Alexander 시스템을 적용 시 원칙에 입각하여 단순화시키고 효율성을 추구하였다면 이번 저서의 경우는 각각의 특이하고 어려운 증례에 적용하기 위해 Alexander 시스템을 어떻게 변화시키고 임상적 팁을 구사하였는지에 대해 명쾌하게 설명하였습니다. 이전 저서에서처럼 Alexander 교수님은 원칙에 입각한 독창적인 치료체계를 통해 교합의 안정성 뿐만 아니라 경조직과 연조직의 장기적인 건강까지 보여주는 장기간 기록을 우리에게 보여주고 있습니다.

이번 저서를 통해 Alexander 원리가 독창적이고 체계화된 치료철학으로 후학들에게 널리 알려지고 배움에 도움이 되길 바랍니다.

끝으로 이 책의 출판을 위해 많은 도움을 주신 군자출판사 장주연 대표님과 김도성 과장님, 미국 Quintessence 출판사 Sue Robinson 선생님, American Orthodontics (AO) Jaume Mesalles 사장님, 가남오스콤 이종각 사장님, 그리고 경희대학교 치과대학 및 치의학전문대학원치과교정학 교실원들께 깊은 감사의 말씀을 드립니다.

2016년 10월
역자 대표 정규림

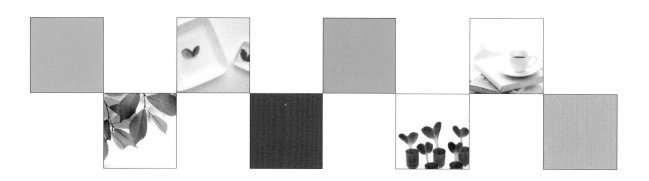

저자 서문

교정의사나 일반치과의사가 매우 제한적인 교육이나 임상경험을 거쳤다면, 그 의사가 치료하는 모든 증례가 "특이하고 어려운" 것이 될 것입니다. 모든 젊은 교정과의사나 치과의사는 쉽사리 잘못된 브라켓을 선택하고, 엉뚱한 호선을 고르며, 그리고 부적절한 악정형력을 선택하고 적용할 수 있습니다. 이런 잘못된 결정은 결과에 작은 부작용을 야기하거나 또는 심각한 손상을 주어 치료계획을 완전히 수정해야 할 수도 있습니다.

제2권의 증례 9-3에서 언급한 바와 같이, 우리가 사람에 관련된 문제를 다룰 때 분명 한계는 존재합니다. 우리가 치열이나 안모에 있어서 상당한 개선을 이루어 낼 수 있다 하더라도, 특정 환자들에서 영구적인 안정성을 얻기 위해 필요한 어떤 요인들은 우리의 통제능력을 뛰어넘는 것입니다. 이 증례에서 환자의 골격유형은 시간이 지남에 따라 수직적으로 악화되었고, 치료 후 18년 뒤 그녀의 수직피개와 수평피개는 처음 치료를 시작할 때보다 더 나빠져 있었습니다.

알렉산더 원리를 처음 접한 의사들에게는, 우리의 치료 테크닉이 너무 단순해서, 심지어 교정학의 기초를 전혀 배우지 않아도 자신들이 치료에 성공할 수 있을 것처럼 보일 정도입니다. 많은 일반 치과의사들도 교정학이 쉽다고 여기는 잘못된 믿음을 가지고 있습니다. 실제로 그렇게 "쉬운" 증례는 존재하지 않습니다. 당신이 원칙을 따르고 각 단계의 한계점을 이해한다면 알렉산더 원리는 단순합니다.

이 책의 목표는 "일반적인" 시스템을 각각의 "특이한" 증례에 적용하기 위해 어떤 특정한 변화를 줄 것인가를 보여주는 것입니다. 이러한 변화에는 드물게 시행되는 발치유형, 브라켓 각도, 치료 시기, 그리고 선택된 치아의 대체 등이 포함될 수 있습니다. 이 책에서 가장 흥미로운 것은 치아치조 경조직과 연조직이 특정 조건하에서 얼마나 잘 "적응"하는지를 보여주는 것입니다. 그리고 여러 증례들에서, 우리는 교합의 안정성 뿐만 아니라 경조직과 연조직의 장기적인 건강까지 보여주는 장기간 기록을 얻을 수 있었습니다.

이 책이 독자들에게 특정 부정교합의 치료와 성취 가능한 잠재적 안정성에 관한 새로운 시각을 제공할 수 있기를 바랍니다.

감사의 말

퀸테센스에서 펴낸 제3권의 출간에 즈음하여, 이렇게 전문적인 사람들과 함께 작업해온 것을 나는 기쁘게 생각합니다. 일부 장에서 많은 증례들을 제외시켜야 했지만, 전달하고자 하는 메시지는 여전히 분명합니다: 인생에서와 마찬가지로, 비범하고도 험난한 도전을 준비하기 위해서는 계획, 용기, 그리고 신념이 필요합니다.

이번 제3권의 집필에 착수할 때 나의 가족은 변함없는 지지와 믿음으로 지원해주었습니다. 교정의사인 두 아들 Chuck과 Moody가 나에게 영감을 주었습니다. 딸 Shanna는 나의 마음을 즐거움과 의지로 채워주었습니다. 그리고, 아내 Janna는 우리 인생의 여정을 나와 함께 해오고 있습니다. 그들의 지지는 너무나 소중한 것입니다.

나의 강의, 출간, 그리고 연구를 담당하고 있는 Dr. Elisa Espinas San Juan에게 말로는 표현할 수 없는 감사의 마음을 전합니다. 그녀는 이 책에 나오는 모든 증례들, 이미지들과 도표들을 모으고 구성을 도맡았습니다. Elisa는 환자 기록을 찾아내는데 뛰어난 감각을 발휘하여 이 책에 필요한 많은 증례들의 병력을 모아서 제공하였습니다.

또 Eliza Jade San Juan에게도 감사를 전하고 싶습니다. 그녀는 자신의 어머니와 다른 이들을 도와 이 책의 세부적인 내용들을 채워나가는데 기여했습니다. Jade는 어떤 종류의 업무도 기꺼이 맡아주어 작업이 잘 진행되게 도왔습니다. 종종 숫자를 세는 등의 작은 일도 맡았는데, Jade는 세부적인 사항을 다루는데 능숙했습니다.

전체 직원 모두가 필요한 지원을 제공하였으며, 특히 나의 비서인 Becky Davis의 도움이 컸습니다. 그녀의 끈기가 원고를 완성하는데 도움이 되었습니다. 그녀는 늘 변화하는 환경속에서 성장을 계속해왔습니다.

늘 배움을 갈망하며 새로운 정보에 의해 도전받고 있는 전 세계의 교정의사들에게 마지막으로 감사의 말을 전합니다. 많은 분들은 다년간의 경험을 거쳤으며, 어떤 분들은 최근에 졸업했을 것이고, 그리고 여러분 모두는 평생에 걸쳐 배우는 학생입니다. 나는 여러분이 이 책에 담겨 있는 메시지를 배우고 적용하기를 바랍니다.

마지막으로 또 중요한 것은, 우리 환자들의 노력과 협조가 없었다면 그 무엇도 가능하지 않았다는 것입니다. 환자의 협조가 없이는 모든 것이 이론에 불과합니다. 그리고 시간이 흐르면 결과가 나오게 됩니다. "진실의 방"이 보여주듯이, 이론적인 개념은 근거중심의 결론이 되었습니다. 우리 환자, 화이팅!

The Alexander Discipline

Unusual and Difficult Cases

The Alexander Discipline Unusual and Difficult Cases

01 개방교합의 치료
Treatment of Open Bite Malocclusions

"Whatever you can do or dream you can, begin it. Boldness has genius, power, and magic in it!"
당신이 할 수 있는 일 또는 꿈꾸는 일이 무엇이든 시작하라. 용기 속에 천재성과 능력 그리고 마법과 같은 힘이 있다.
—Johann Wolfgang von Goethe

개방교합에 대한 나의 정의는 상악 전치의 설측 절단연과 하악 전치의 절단연이 서로 접촉하지 않는 교합상태이다. 다행히도, 미국인의 4퍼센트만이 전치부 개방교합을 가지고 있다. 남성보다는 여성에서 좀더 빈번하게 나타나고, 백인에 비해 흑인은 4배 높은 빈도를 보인다.

개방교합에는 두 가지 종류가 있다: 골격성과 치성이다. 골격성 개방교합의 경우 수직적 골격양상과 전방경사된 상하악 전치를 보이는 반면, 치성 개방교합은 수평적 또는 정상범위의 골격양상과 전방경사된 상하악 전치를 보인다.

원인론

개방교합의 원인에 관한 문제는 개방교합이 선천적인가, 후천적인가 또는 환경의 영향인가 하는 것이다. 저자의 경험에 의하면, 개방교합은 거의 대부분 근육과 교합의 불균형에 의해 후천적으로 발생한다는 것이다. 구호흡을 하는 6세 아이에서는 영구 제1대구치에 적은 힘만 가해지고, 이로 인해 과맹출되어 결국은 수직적 골격유형으로 된다. 수직적 골격유형의 정도가 심해질수록, 개방교합으로 발전할 가능성도 증가하게 된다. 게다가, 저자가 치료했던 모든 개방교합 환자들은 혀내밀기 습관을 가지고 있었다. 이러한 비정상적인 근기능을 조절하여 개방교합을 치료할 수는 없다하더라도 교정치료 후 개방교합이 재발하는 것을 방지할 수는 있다.

초진

개방교합을 동반한 부정교합의 성공적인 치료를 위해서 특정 근육의 문제들을 확인하고 해결해야 한다. 초진 시, 교정의사는 다음의 사항을 평가해야 한다:

- 손가락빨기
- 구호흡
- 혀내밀기 습관
- 약한 교합력

손가락빨기

의과와 치과 병력 설문지에서, 환자가 손가락빨기를 한 적이 있는지를 묻는 질문에 부모의 답변이 필요하다. 그 대답이 "예"라면, 그 문제에 대해 면밀히 논의하고 계획을 세워야 한다. 저자의 생각에는, 뾰족한 철사를 가진 tongue rake 장치는 야만적이다. 그 대신, 저자는 수년간 환자들과 대화를 통해 손가락빨기 습관을 고치도록 지속적으로 상기시키는 방법을 사용해왔다. 금속장치를 사용해 손가락을 입 안에 못 집어넣게 하는 대신 우리는 대화를 통해 습관을 고친다.

이러한 대화에서, 환자는 교정의사와 마주앉아 다섯가지의 질문을 받는다:

1. "왜 당신은 손가락을 빼는가?" 물론 환자는 답이 없을 것이고, 그래서 나는 주로 "따뜻하고 편안한 느낌을 주니까?"와 같은 추측을 제시한다. 의사가 그 이유를 이해한다는 생각이, 환자의 기분을 나아지게 만든다.

2. "손가락이 당신의 치아에 어떤 영향을 주는지 알고 있나요?" 이 질문을 한 뒤, 나는 구강미러를 이용하여 치아의 배열이 얼마나 흐트러져 있는지를 확인시켜 준다. 이 때가 어떤 손가락이 범인인지를 확인하기 좋은 때이다. 나는 아이에게 손을 들어보라고 말한 후, "어떤 손가락이지?"

하고 묻는다. 나는 항상, "행동과 그것을 행한 사람을 구분"하기 위해서 환자에게 자기자신이 아니라 그 손가락이 문제임을 지목한다: "이 손가락이 너의 치아를 망가뜨리고 있단다."

3. "언제 손가락을 빨게 되나요?" 내 경험으로, 밤에만 손가락을 빠는 경우에 대화를 통한 습관교 정의 성공률이 높다. 하지만, 환자가 부끄러움 없이 주위에 친구가 있어도 손가락을 빤다면 습 관을 고치기 어려울 것이다. 이런 경우라면 실제로 thumb rake 장치가 필요할 수 있다.

4. "언제 그만둘건가요?" 물론 환자는 대답할 수도, 하지도 않을 것이므로, 내가 대신 답한다. "결 혼할 때?" 물론 아니다. 그러면, 나는 달력을 앞당기기 시작한다: "고등학교? 중학교? 지금?" 이쯤 되면, 환자는 그만두어야 한다는 것을 깨닫게 되고—바라건대 습관을 고치는데 동의하게 된다! 나는 고무되고, 환자와 같이 하이파이브를 한다. 부모들은 "전에도 그 말은 들었는데"라 는 반응을 보이긴 하지만, 같이 하이파이브 한다. 나는 이번에는 다를 것이며 아이는 부모의 지 지가 필요하다는 말로 부모를 격려한다. 하지만 대화는 아직 끝나지 않았다!

5. "얼마나 오랫동안 그만둘 건가요? 일주, 한달, 일년?" 나는 부모가 "계속해서" 혹은 "평생"이라 고 얘기할 때까지 이 대화를 계속한다. 나는 또다시 고무된다. 이제는 부모도 축하해주는 시간 이다! 부모와의 약속이 성립되면, 이것이 긍정적 강화가 생긴다: "기분이 나아지지 않나요?"

이러한 대화가 이루어진 후, 환자가 그 생각을 바꾸지 않도록 확실하게 하는 것이 매우 중요하다. 저자의 병원에서는, 환자에게 "도난 경보기" 기억장치의 역할을 하는 일회용 반창고를 해당 손가락 에 붙이도록 알려준다. 매일 새 것으로 바꾸도록 하고, 사용했던 것은 지퍼백에 보관하게 한다. 3주 후 내원시에 이 지퍼백을 병원으로 가져오게 한다. 또 환자에게 3주 달력에 성공한 날을 표시해서 가져오게 한다. 나는 항상 부모들에게 첫 3주 동안 아이를 지지하고 격려할 것을 당부한다. 매일 밤 마다 성공적인 하루를 보낸 환자를 칭찬하게 한다. 부모는 3주의 마지막 날에 특별한 상이나 선물을 줄 수 있다. 진솔한 대화는 어린이가 나쁜 습관을 멈추게 하는 놀라운 일을 할 수 있다. 그리고 부모 는 항상 감사하게 여긴다.

구호흡

구호흡의 원인은 코막힘이나 기도막힘 또는 돌출된 전치로 인한 결과이다. 이 시리즈의 제2권에 비강이나 기도의 폐쇄를 확인하기 위한 테스트에 관한 개요가 설명되어 있다(171쪽 참조). 교정의로 서 우리의 목표는 환자가 안정상태나 비호흡을 하는 동안 입술이 서로 닿게 하는 것이다.

혀내밀기 습관

혀내밀기는 근육 불균형이 치아 위치에 영향을 미치는 것을 보여주는 좋은 예이다. 연하 시 혀가 적절하게 기능한다면, 상악 전치의 수직피개와 수평피개 뿐만 아니라 상악 구치간 폭경이 정상적일 것이다. 그러나 연하 시 전치 사이로 혀를 내민다면 전치부 순측경사를 보일 것이고, 이는 개방교합 을 야기할 수 있다. 혀내밀기 습관 여부의 간단한 진단은 초진 시 결정될 수 있다. 측두하악관절을 촉진하여 관절음을 검사하고, 아랫입술을 아래로 살짝 당기고 환자에게 연하하도록 한다. 혀의 움직임을 관찰함으로써, 혀내밀기 습관 여부를 쉽게 관찰할 수 있다.

역사적으로, 혀내밀기 습관에 tongue cribs을 사용하였다. 저자의 판단에는, 이 장치는 야만적이고, 항상 나는 언어치료사에게 배운대로, "혀운동"으로 혀를 재훈련하는 것을 선호한다. 이 시리즈의 제2권에 이러한 5단계 과정이 설명되어 있다(혀를 내밀고, 딸깍 소리내기, 후루룩 소리내기, 어금니로 앙다물기, 그리고 연하하기; 172쪽 참조).

약한 교합력

과도한 교합력은 교모나 악관절장애를 야기하는 반면, 약한 교합력은 치아를 부적절한 위치로 이동을 허용하여 대개 전치부 개방교합과 수직적 골격 유형이 발생할 수 있다. 이런 문제를 해결하기 위해 환자는 저작근을 훈련하는 방법을 배워야 한다. 어금니 앙다물기 연습은 최대 교합력과 피로에 대한 저항을 증가시킨다(Thompson D, unpublished study, 1995).

Dr. Laurie Parks는 중등도에서 심한 정도의 수직적 유형과 전치부 개방교합을 가지고 있는 부정교합 환자 50명의 진단기록을 연구하였다.[1] 그녀는 골격성 개방교합의 치료 시 교정치료만 시행한 경우보다 저작근 훈련을 병행한 경우에서 더 많은 수직피개 증가를 보인다는 것을 발견했다. 그녀는 연하법을 병행한 이앙다물기 연습을 적용한 경우에서 수직피개가 현저하게 증가되었으며 장기안정성에도 더 유리하다고 결론내렸다. 따라서, 혀운동과 이앙다물기 연습만으로 개방교합이 치료되진 않더라도, 개방교합이 교정적으로 치료되고 나면 이러한 구강 환경의 변화가 장기안정성을 보장할 것이다.

개방교합 치료에 있어서 전통적인 악정형적인 접근법

상방견인 페이스보우

환자의 협조도가 매우 좋다면, 상방견인 페이스보우로 상악 대구치를 압하시킬 수 있다(그림 1-1). 그러나, 환자가 하루종일 장치를 착용하기를 기대하는 것은 비현실적이므로, 따라서 하루에 12시간 착용하여 치료 전 SN-MP의 유지를 목표로 하는 것이 더 낫다.

횡구개호선

저자의 임상경험으로는, 이 장치가 수직적 골격유형을 감소시킬 수는 없지만 치료 전의 상태로 유

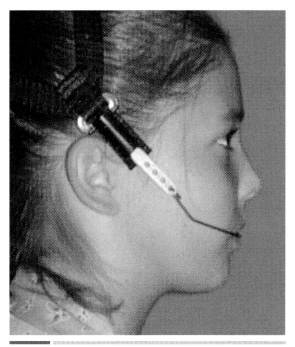

fig. 1-1 상방견인 페이스보우

지하는 데 도움을 준다.

친컵

이 장치 또한, 수직적 골격유형을 감소시킬 수 없다는 것은 분명하나, 유지하는 데는 도움이 된다. 임상적으로, 친컵을 착용는 것이 치아의 교합상태를 유지하고, 이는 구치부의 과맹출을 방지한다.

교정용 미니임플란트 Temporary anchorage devices

수직적 골격유형을 조절하고 감소시키는 가장 흥미로운 가능성은 교정용 미니임플란트 (TADs)를 이용하여 상하악 구치를 압하시키는 것이다. 만약 이 장치의 사용이 장기적으로 안정적이라면, 이는 향후 수직적 골격유형 치료에 관한 접근법을 변화시킬 것이다.

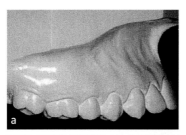
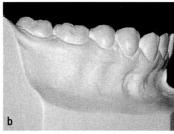

fig. 1-2 (a 와 b) 개방교합 모형

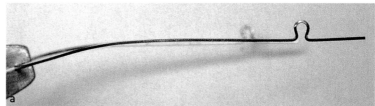
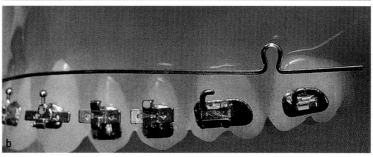

fig. 1-3 (a 와 b) 역스피만곡

개방교합의 치료역학에서의 알렉산더 원리

경력 초기에 저자가 개방교합의 하악 연구모형을 관찰하였는데 치열은 잘 배열되어 있었던 것을 기억한다(그림 1-2). 그것은 과개교합의 치료 후 상태처럼 보였다. 따라서 과개교합을 가진 부정교합의 치료역학과 상반되는 방법으로, 개방교합을 치료해야 한다고 생각했다.

진단

- 편안한 상태의 상순을 관찰하라. 중절치의 절단연으로부터 4~5mm 위에 있어야 한다.
- 미소 시 상순을 관찰하라. 치은연으로부터 1~2mm 이내에 있어야 한다. 환자의 자연스러운 미소를 얻기 위해 이 시리즈의 제2권(145쪽)에 있는 "구찌구찌" 방법을 참고하라.

개방교합 증례에서, 미소 시 상순이 상악 전치의 상당 부분을 덮는 것을 흔히 볼 수 있다. 전치의 노출을 증가시키기 위한 방법으로 전치의 정출을 고려하기도 한다. 이는 0.016 SS와 0.017 × 0.025 SS 상악 호선(그림 1-3)에 역스피만곡을 넣어서 시행하고, 이후 필요하면, 전치부 박스 악간 고무를 사용한다(그림 1-4).

치성 개방교합과 골격성 개방교합

골격유형은 정상(낮은 수직적 골격 각도)이지만 개방교합을 가진 경우는, 치성 개방교합의 경우와

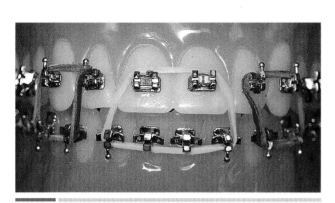

fig. 1-4 전치부 박스 악간고무줄

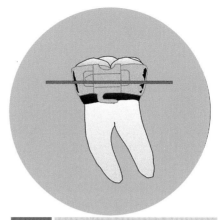

fig. 1-5 하악 제 1대구치 브라켓의 경사가 0도이다.

동일하게 치료할 수 있다. 적절한 치료역학과 근육운동으로 환자는 좋은 결과를 얻게 된다. 골격성 개방교합의 경우 문제는 심각하다. 수술이 유일한 해결방안이 될 수도 있다.

개방교합의 치료역학

- 브라켓 부착: 구치를 압하시키고, 전치를 정출시키는 것이 목표이다. 브라켓 부착 높이에 변화를 주는 방법이다. 개방교합을 보이는 모든 치아들에, 0.5mm 치은쪽으로 브라켓을 부착한다. 교합되고 있는 치아에는, 0.5mm 교합면쪽으로 브라켓을 위치시킨다.
- 근원심 경사: 일반적인 알렉산더원리의 처방과 중요한 차이점은 하악 제1대구치에 통상적인 −6도 대신 0도로 경사를 주는 것이다 (그림. 1-5). 이는 하악 제1대구치에 근심경사를 부여하게 되는데 이것이 스피만곡을 강조하고 개방교합을 닫는데 도움을 준다.
- 호선: 상하악 호선에 역스피만곡을 부여한다.
- 악간고무: 전치부와 협측 박스 악간고무줄을 사용한다.
- 이앙다물기 연습: 이것이 교합력을 향상시킴을 환자에게 알려준다. 또한 교합력 향상을 위해 껌씹기를 추천한다.
- 발치: 증례의 특성에 따라 발치가 필요할 수 있다.

참고문헌

1. Parks L. Masticatory exercise as an adjunctive treatment for hyperdivergent patients. Angle Orthod 2007;77:457-462.

증례 1-1

✚ 개요
성실한 임상가는 치료한 모든 증례를 통해 배울 수 있지만, 환자가 독특한 조건을 가지고 또 치료에 대해 예상치 못한 반응을 보이는 특정 증례들의 경우 특히 교육적인 의미가 있다. 심한 수직적 골격유형, 골격적인 3급 부정교합을 보이는 16세 소녀가 그런 환자였다(그림 1-6a에서 1-6c). 치열을 보면, 3급의 구치관계, 우측 구치부의 반대교합, 4mm의 전치부 개방교합을 보였다(그림 1-6d에서 1-6h). 하악궁에서 5mm의 공간부족이 있었다. 그림 1-6i와 1-6j는, 치료 전 두부방사선사진 트레이싱과 파노라마 사진이다. 환자는 성인 나이에 가깝기 때문에, 악교정수술도 고려하였지만, 경계선 증례여서 수술없이 치료목표를 달성할 가능성이 있었다.

✚ 검사 및 진단
16세의 소녀는 심한 수직적 골격유형(49도의 SN-MP), 폭경이 좁은 상악, 4mm의 개방교합, 그리고 혀내밀기 습관을 가졌다. 악교정 수술(3-piece Mx. osteotomy)에 대해 논의했으나, 비수술, 비발치 치료를 먼저 시도해보기로 하였다.

✚ 치료계획
먼저, 고정성 급속구개확장장치를 사용하였다. 발생가능한 불편감을 고려하여 환자에게 2일에 한 번 장치를 돌리도록 교육하였다. 또 가능한 자주 이앙다물기 연습를 하도록 했다. 페이스마스크의 사용 대신에 3급 벡터의 고무줄을 사용하였다.

✚ 평가
예상치 않게 급속구개확장장치(RPE) 사용으로 중절치 사이에 3mm의 정중이개가 형성되었고 개방교합도 5mm 더 증가되었다(그림 1-6k에서 1-6m). 구치의 협측경사이동으로 조기접촉이 발생하였고, 이로 인해 개방교합이 더욱 증가했다. 다행히 이런 현상은 일시적이다.

✚ 고찰
상악폭경확장 후, 다음 목표는 정상 교합을 형성하는 것이다. 이는 3급 벡터의 박스 악간고무줄사용(그림 1-6n에서 1-6r), 이앙다물기 연습과 혀훈련으로 얻어진다. 하악 전치부에서 상당량의 치간법랑질 삭제가 시행되었다. 이러한 요소들이 합쳐져 IMPA를 조절하였다. 그리고 마무리 호선(17 × 25 SS)을 상하 악궁에 삽입하였고(그림 1-6s에서 1-6w), 7개월 뒤 마무리 고무를 사용하였다(그림 1-6x에서 1-6bb). 그림 1-6cc에서 1-6ll은 치료후 결과를 보여준다.

✚ 장기안정성
개방교합은 장기간 유지가 어려운데, 성장이 종료된 3급 골격양상을 동반하는 경우, 난이도가 더욱 증가한다. 환자는 계속 혀 운동을 하고, 수면시 가철성 유지장치 wraparound retainer (혀를 위치시키기 위해 레진 앞부분에 작은 구멍을 뚫었다)를 착용한다.
흥미롭게도 시간 경과에 따라 교합은 개선되었다 (그림 1-6mm에서 1-6ww). 저자의 견해로는 최종 교합이 안정적이고 구강 및 구강근육 조직이 정상적으로 기능한다는 것이 그 이유이다.

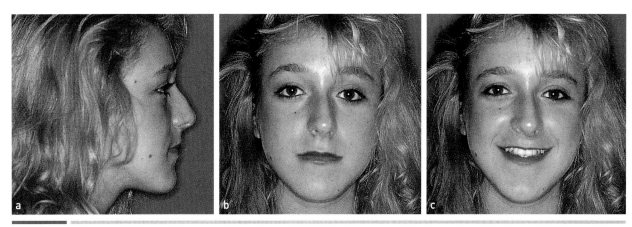

fig. 1-6 a~c 3급 경향의 측모를 보이는 치료 전 안모사진

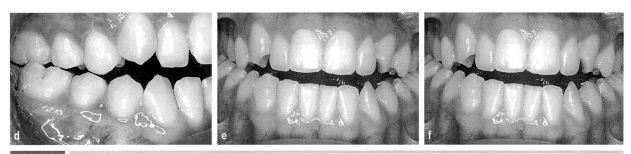

fig. 1-6 d~f 치료 전 구내사진 4mm의 개방교합과 3급의 구치관계를 보인다.

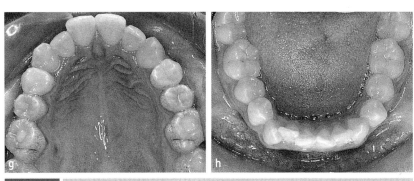

fig. 1-6 g~h 치료 전 교합면

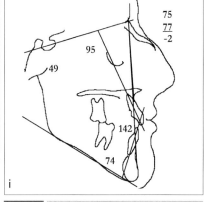

fig. 1-6 i 치료 전 측모두부방사선 사진 트레이싱

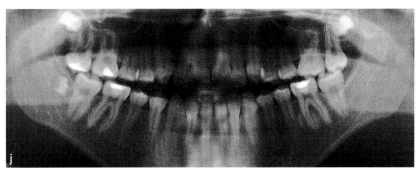

fig. 1-6 j 치료 전 파노라마 사진

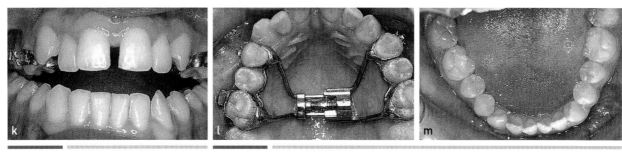

fig. 1-6 k   RPE를 이용한 확장 후 구내사진   fig. 1-6 l~m   1-6m 확장 후 교합면
              정면

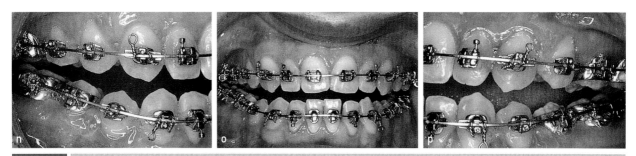

fig. 1-6 n~p   치료 14개월 구내사진: 상 하악에 17 × 25 TMA 호선; 3급 벡터의 박스 악간고무줄 사용을 시작함

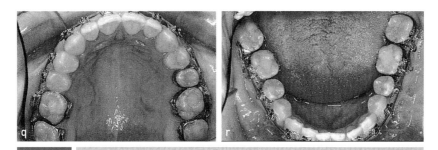

fig. 1-6 q~r   치료 14개월 교합면

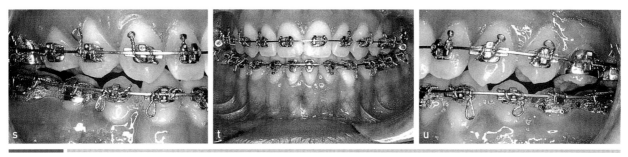

fig. 1-6 s~u   치료 19개월 구내사진: 상 하악 17 × 25 SS 호선

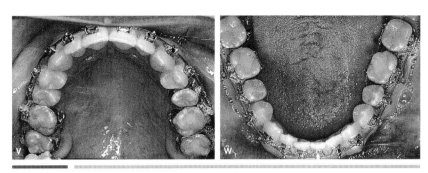

fig. 1-6 v~w 치료 19개월 교합면

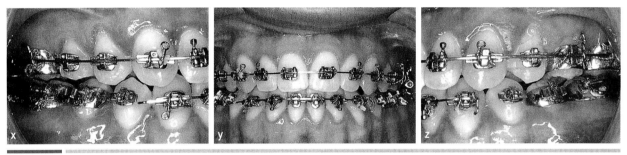

fig. 1-6 x~z 치료 26개월 구내사진. 하악 호선을 분절하고, 마무리 고무줄을 사용하였다.

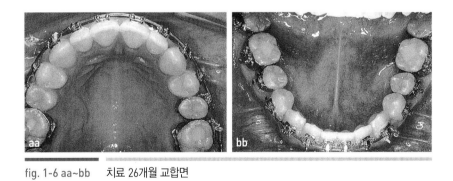

fig. 1-6 aa~bb 치료 26개월 교합면

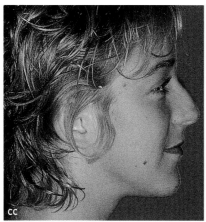
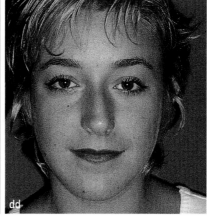
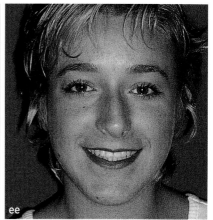

fig. 1-6 cc~ee   28개월 간의 치료 후 최종 안모사진

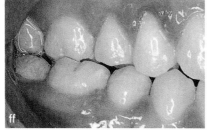
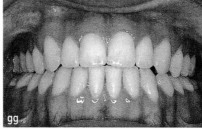
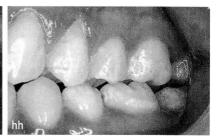

fig. 1-6 ff~hh   최종 구내사진

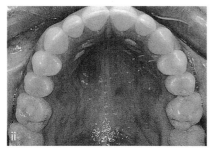
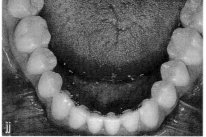
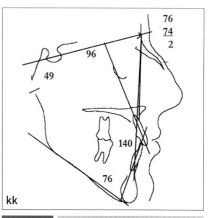

fig. 1-6 ii~jj   최종 교합면

fig. 1-6 kk   치료 후 측모두부방사선 사진 트레이싱

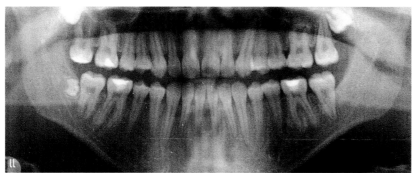

fig. 1-6 ll   치료 후 파노라마 사진

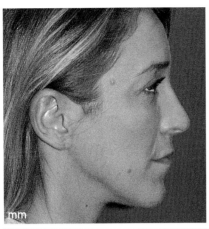
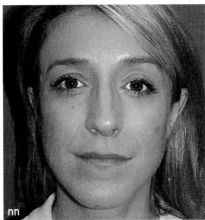

fig. 1-6 mm~oo 치료 후 16년 뒤 안모사진

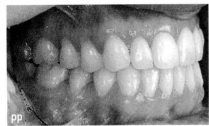
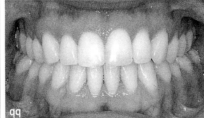
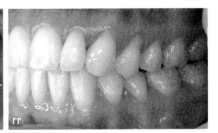

fig. 1-6 pp~rr 치료 후 16년 뒤 구내사진

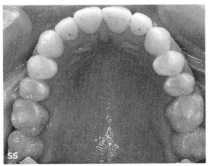
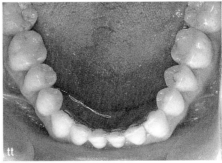

fig. 1-6 ss~tt 치료 후 16년 뒤 교합면

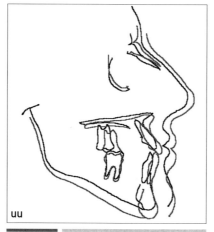

fig. 1-6uu 중첩된 트레이싱

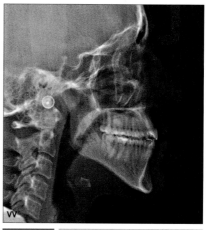

fig. 1-6vv 치료 후 16년 뒤 측모두부방사선
사진

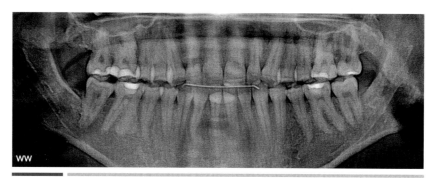

fig. 1-6ww 치료 후 16년 뒤 파노라마 사진

table 1-1 호선 순서

Archwire	Duration(months)
Maxillary	
0.016 nitinol	7
0.016 SS	2
17 × 25 TMA	12
17 × 25 SS	7
Active treatment time :	28 months
Mandibular	
None	4
0.016 nitinol	4
0.016 SS	2
17 × 25 TMA	3
0.016 SS	3
16 × 22 TMA	6
16 × 22 SS	3
Active treatment time :	21 months

table 1-2 개별 힘

Force	Duration(months)
Sealed RPE	6 weeks
Removed RPE	10 weeks
Elastics	
Lateral box Class III	6 months
Class III buccal box	2 months
Crossbite	6 months
Trapezoid box	2 months
Finishing (W with a tail)	2 months

table 1-3 계측치

	Initial (mm)	Fianl(mm)
Maxillary intermolar width (6 × 6)	34.7	36.0
Mandibular intercanine width (3 × 3)	25.8	24.9

증례 1-2

✚ 개요

34세 9개월의 남성으로 심한 수직적 골격유형과 개방교합, 하악에서 심한 총생을 보였다(그림 1–7a에서 1–7j). 처음에는 악궁의 배열을 위해 소구치 발치와 악안면 수술이 분명히 필요해 보였다.

✚ 검사 및 진단

수직적 골격유형과 개방교합에다가 하악궁에 심한 공간부족(8mm 이상)을 보였다. 이러한 악궁길이 부조화로 최종 치료계획과 관계없이 발치가 필요하다. 게다가 구치 관계는 우측은 1급, 좌측은 2급 관계였다. 심한 개방교합으로 인해 환자가 미소지을 때 임상치관의 절반만 노출되었다.

✚ 치료계획

3–piece Mx. segmental Le Fort Ⅰ osteotomy와 Mn. Advancement로 수술을 시행하여 치료하기로 결정하였다. 악궁길이 부조화의 해소를 위해 적절한 공간을 얻기 위해서 4개의 제1소구치를 모두 발치하였다.

비고: 저자의 경험에 의하면, "자발적 치아이동–driftodontics"은 일반적으로 성인환자에서는 성공적이지 않으므로, 따라서 이 증례는 파워체인을 이용하여 일반적인 상악 견치 후방견인을 시행하는 동안 하악 견치를 후방견인하기 위해 하악 분절 호선을 사용하였다.

✚ 평가

흥미롭게도 견치의 후방견인 후, 개방교합이 저절로 닫혔다! 그림 1–7 k에서 1–7dd는 치료의 여러 단계에서의 교합과 악궁을 보여준다. 치료가 진행됨에 따라 환자와 나 자신 둘다 수술의 필요성에 대해 의문을 갖기 시작했다. 우리는 곧 치료 계획을 변경하여 수술을 배제하고 전형적인 개방교합 치료역학을 적용하기로 하였다(예를 들면, 역스피만곡 등). 최종 치료결과는 그림 1–7 ee에서 1–7nn에서 보여준다.

✚ 고찰

돌이켜보면, 우리가 처음부터 비수술로 환자를 치료할 계획이었다면, 하악 좌측 제1소구치 대신에 제2소구치를 발치했을 것이다. 그랬다면 최종적인 좌측 구치관계가 더 나았을 것이다.

✚ 장기안정성

장기간 관찰(치료 후 7년 뒤)을 보면 치료결과는 매우 안정적이다(그림 1–7oo에서 1–7ww). 수술이 최종 결과나 장기적인 결과를 향상시켰을지는 의문이다.

table 1-4 호선 순서

Archwire	Duration(months)
Maxillary	
0.016 nitinol	3
0.016 SS	6
17 × 25 TMA	7
17 × 25 TMA closing loop	3
17 × 25 SS	6
Active treatment time :	25 months
Mandibular	
None	3
17 × 25 TMA sectional closing loop	6
0.016 nitinol	3
0.016 SS	1
16 × 22 SS	3
17 × 25 SS	9
Active treatment time :	22 months

table 1-5 개별 힘

Force	Duration(months)
Chains on maxillary canines	6
Elastics	
Class II	7
Anterior box	1
Finishing (W with a tail)	1

table 1-6 계측치

	Initial (mm)	Fianl(mm)
Maxillary intermolar width (6 × 6)	32.2	33.4
Mandibular intercanine width (3 × 3)	26.0	28.4

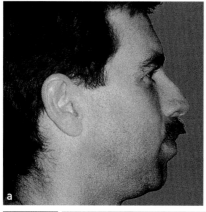 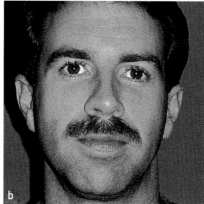 

fig. 1-7 a~c 치료 전 안모사진

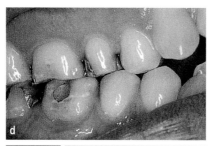 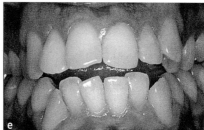 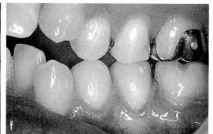

fig. 1-7 d~f 치료 전 구내사진

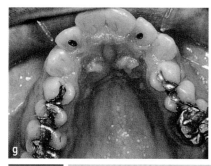 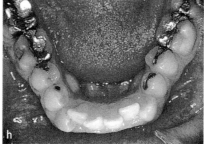 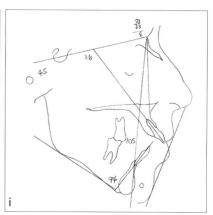

fig. 1-7 g~h 치료 전 교합면

fig. 1-7 i 치료 전 측모두부방사선 사진 트레이싱

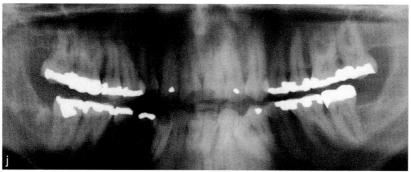

fig. 1-7 j 치료 전 파노라마 사진

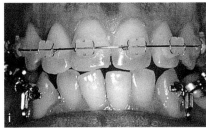

fig. 1-7 k~m   치료 6개월 구내사진: 상악 0.016 SS 호선, 하악 17 × 25 SS 호선

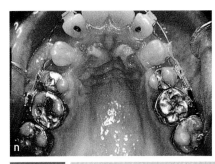
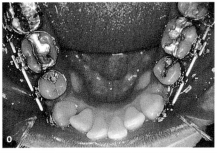

fig. 1-7 n~o   치료 6개월 교합면

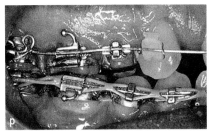
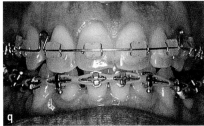
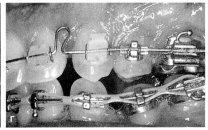

fig. 1-7 p~r   치료 11개월 구내사진: 상악 17 × 25 TMA 폐쇄루프 호선, 하악 0.016 SS 호선과 파워체인

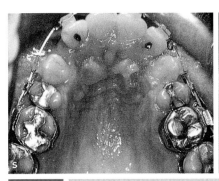
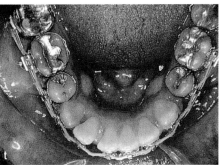

fig. 1-7 s~t   치료 11개월 교합면

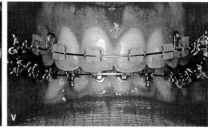

fig. 1-7 u~w　치료 15개월 구내사진: 하악 16 × 22 SS 호선

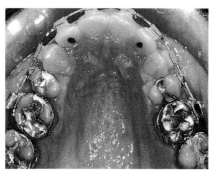
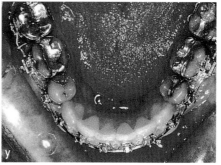

fig. 1-7 x~y　치료 15개월 교합면

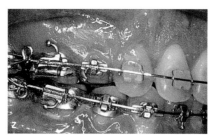
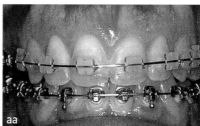

fig. 1-7 z~bb　치료 21개월 구내사진: 상 하악 17 × 25 SS 호선

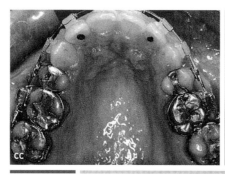
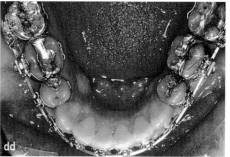

fig. 1-7 cc~dd　치료 21개월 교합면

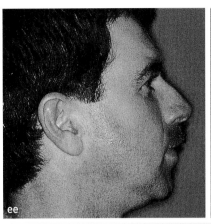
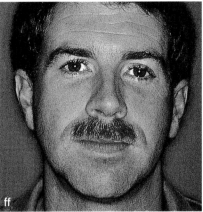
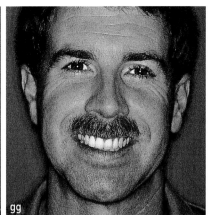

fig. 1-7 ee~gg 최종 안모사진

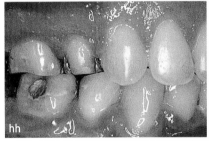
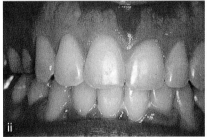
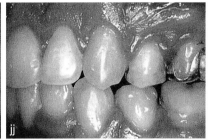

fig. 1-7 hh~jj 최종 구내사진

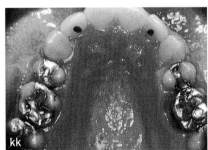
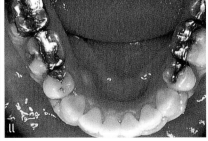
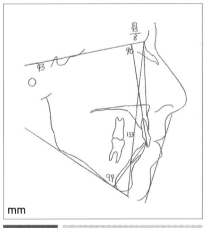

fig. 1-7 kk~ll 최종 교합면

fig. 1-7 mm 치료 후 측모두부방사선 사진 트레이싱

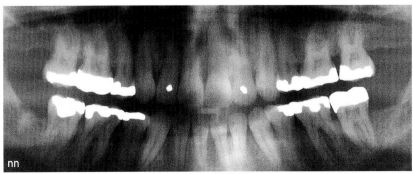

fig. 1-7 nn 치료 후 파노라마 사진

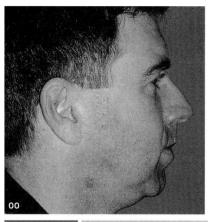
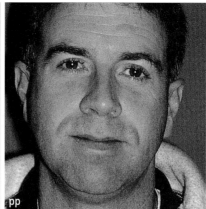

fig. 1-7 oo~qq   치료 후 7년 뒤 안모사진

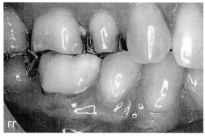
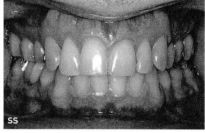
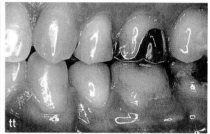

fig. 1-7 rr~tt   치료 후 7년 뒤 구내사진

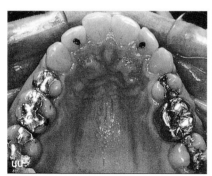
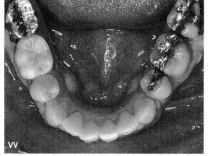

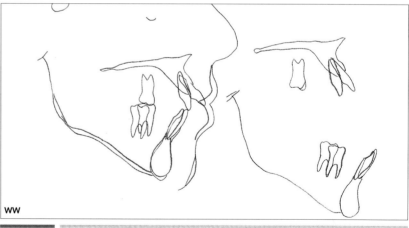

fig. 1-7 ww   치료 후 7년 뒤 중첩된 트레이싱

fig. 1-7 uu~vv   치료 후 7년 뒤 교합면

증례 1-3

✚ 개요
17세 소녀는 수직적 골격유형, 양측성 구치부 반대교합을 가지고 있었다(그림 1-8 a에서 1-8h). 환자는 심한 개방교합(5mm)을 보였다. 1974년에 치료하여, 이 증례는 초창기 급속구개확장을 사용한, 그것도 성인환자에서 시행된 경우가 되었다.

✚ 검사 및 진단
양측성 구치부 반대교합은 V자 형태의 상악 악궁으로 인한 결과였다. 이러한 문제는 골격성 3급관계, 수직적 골격유형, 개방교합 그리고 혀내밀기로 인해 치료가 더 어려웠다. 심하지 않은 공간부족과 연조직측모는 진단과정에서 반드시 고려되어야 한다.

✚ 치료계획
급속구개확장과 그 후 전체적으로 교정장치를 부착하는 비발치 치료를 시행하기로 했다. 혀의 위치개선을 위해 언어치료가 추천되었다. 최종 결과는 그림 1-8i부터 1-8q에서 보여준다.

✚ 평가
환자의 챠트에는, 개방교합을 닫기 위한 수직 악간고무줄의 사용이나 호선에 역스피만곡을 부여한 것에 대한 언급은 없다; 그러나 이러한 치료역학이 사용된 것으로 보인다.

✚ 고찰
장기간 경과 관찰을 보면 뚜렷한 전치부 수직피개의 안전성을 볼 수 있다(그림 1-8r에서 1-8z). 또, 하악 전치의 배열도 안정적이다; 상악 측절치에 약간의 회전이 재발하였다.

table 1-7 호선 순서

Archwire	Duration(months)
Maxillary	
0.016 multistrand	2
0.016 SS	14
17 × 25 SS	7
Active treatment time :	23 months
Mandibular	
0.0176 multistrand	2
0.016 SS	7
17 × 25 SS	5
Active treatment time :	14 months

table 1-8 개별 힘

Force	Duration(months)
RPE	6
Elastics	
Class III	1
Midline	1
Box	4

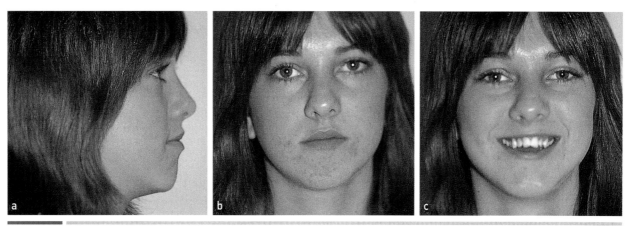

fig. 1-8 a~c 치료 전 안모사진. 측모는 상악이 후퇴된 3급이다.

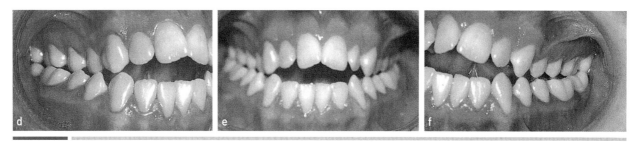

fig. 1-8 d~f 치료 전 구내사진. 5mm의 개방교합을 보인다.

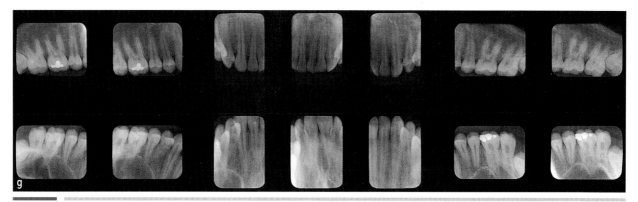

fig. 1-8 g 치료 전 치근단방사선 사진

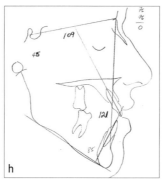

fig. 1-8 h 치료 전 측모두부방사선 사진 트레이싱

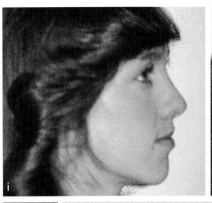

fig. 1-8 i~k 23개월 간의 치료 후 최종 안모사진

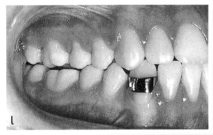
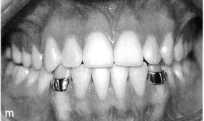
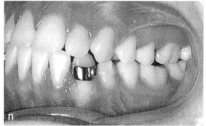

fig. 1-8 l~n 최종 구내사진

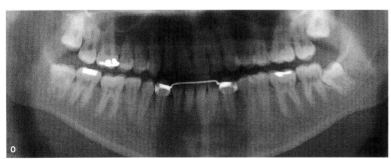

fig. 1-8 o 치료 후 파노라마 사진

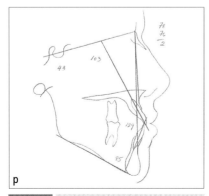
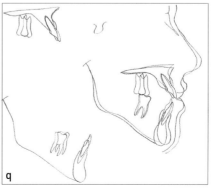

fig. 1-8 p 치료 후 측모두부방사선 사진   fig. 1-8 q 중첩된 트레이싱
트레이싱

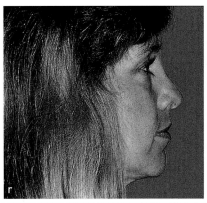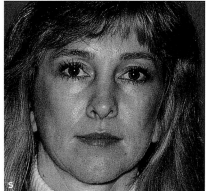

fig. 1-8 r~t 치료 후 18년 뒤 안모사진

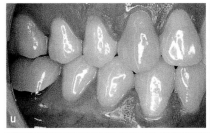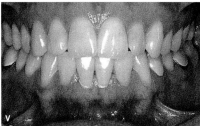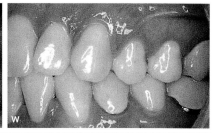

fig. 1-8 u~w 치료 후 18년 뒤 구내사진

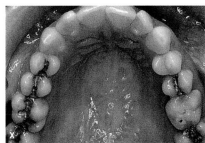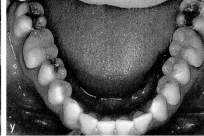

fig. 1-8 x~y 치료 후 18년 뒤 교합면

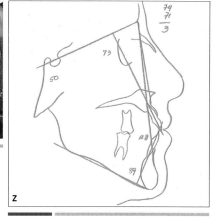

fig. 1-8 z 치료 후 18년 뒤 측모두부방사선
사진 트레이싱

The Alexander Discipline

Unusual and Difficult Cases

Chapter 02
과개교합의 치료

The Alexander Discipline
Unusual and Difficult Cases

02 과개교합의 치료
Treatment of Deep Bite Malocclusions

"Think inclusively···think about what's changing, think about what's possible."
포괄적으로 사고하라···무엇이 변화하고 있는지, 무엇이 가능한지를 생각하라.
— Ross Dawson

안면의 수직적 부족은 과도한 교합력에 의한 불리한 치아 맹출 양상에 의해 만들어진다. 전치부가 과맹출되고 구치는 저맹출된다. 결과적으로 하악궁의 스피만곡이 과도해지고 상악은 역스피만곡이 된다. 전하방 안면고경 부족을 수반한 비정상적으로 큰 수직피개가 형성된다. 이런 경우에서 교합간 안정간격(interocclusal rest space, freeway space)은 종종 정상의 2~3배가 된다. 이런 관계는 2류 부정교합으로 분류되며, 다양한 골격 양상에서 발견될 수 있다.

시상면과 수직면에서 골격적 부조화는 이러한 부족을 동반할 수 있다. 성장하는 어린이에서 2급 골격유형은 교정치료 과정 중에 경부헤드기어나 다른 기능성 장치를 이용하여 악정형적으로 치료할 수 있다. 3급 유형은 페이스마스크를 이용하여 악정형적으로 치료할 수 있다. 성장이 끝난 어른에서 수직적 부족이 종종 악정형적으로 성공적으로 치료될 수 있지만, 적절한 악교정수술이 필요할 수도 있다.

수직적 상악골 부족의 치료 Treatment of Vertical Deficiencies

수직적 상악골 부족을 전치 함입, 구치 정출, 혹은 두가지 모두를 통해 교정적으로 수정한다. 몇가지 테크닉들이 수직적 부족을 교정하기 위해 사용되었다. 트위드기법은 구치 후방경사밴드의 강력한 힘과 제이훅 헤드기어를 사용한다. Ricketts는 유틸리티 호선으로 구치를 수직으로 바로세우면서 전치를 함입시킨다. 한 연구에서[1] 이러한 접근은 전치를 전방경사, 압하시키고 경사도 조절을 감소시키는 경향이 있다고 하였다. 반면, Burstone은 압하호선으로 구치부 변위없이 전치를 함입시켜 과개교합을 치료한다. 이 치료에서 부작용을 막기 위해 분절호선과 횡구개호선이 필요하다.

이러한 교합이개 기법 모두가 효과적이라고 해도 사용하기 복잡하고 어려울 수 있다. 게다가, 이런 방법으로 과개교합의 교정에 대한 장기간 안정성을 얻을 수 있을지는 의문이다.

수직적 부족의 치료에서 5 가지의 주된 치료목표가 달성되어야 한다.

목표 1: 적합한 진단과 치료계획 Goal 1: proper diagnosis and treatment planning

첫번째 목표는 적합한 진단과 치료계획의 수립이다. 정확한 진단을 내리고 효과적인 치료계획을 체계화하기 위해서 몇가지 주된 영역을 고려해야 한다. 측모두부 방사선사진과 파노라마 분석, 연구모형, 안모사진을 연구하고, 환자의 나이, 성장 잠재력, 협조도도 고려해야 한다. 악궁길이 부족도 관찰해야 한다. 최종적으로 환자의 치주건강을 평가한다. 그리고 그런 뒤에야 치료계획을 정확하게 세울 수 있다.

하악 전치의 위치에 특별한 관심을 기울여야 한다. 저자는 하악 전치를 조절하고 교정치료 중에 순측 경사되지 않게 하는 것을 매우 중요하게 생각한다. 이런 규칙의 유일한 예외는 전치가 과다하게 직립한 2류 부정교합의 과개교합 환자이다. 양쪽 악궁에서 전방 토크를 증가시키는 것이 정상적인 전치간 각도를 얻는 데 중요하다.

치료 선택

대부분의 과개교합 증례는 발치없이 진행된다. 하악궁에 과도한 스피만곡이 있는 증례에서는 제2소구치 발치가 종종 필요하다. 그러나, 이 치아는 만곡의 깊은 부분에 위치하고 있어서 발치가 되면, 만곡의 증가없이 공간을 닫기가 매우 어렵고 배열하기 더 어려워진다. 중등도 총생 치열에서 공간을 확보하기 위한 또 하나의 선택은 치간인접면 삭제이다. 과도한 수평피개를 동반한 2급 부정교합에서 경도의 총생은 상악 소구치만 발치하여 2급의 구치관계를 형성하게 된다.

다음의 특별한 증례에서 하악 전치 발치를 고려할 수 있다.

• 심한 하악 악궁길이 부족이 있을 때
• 상악 측절치가 작을 때
• 구치 교합이 3급경향의 1급관계일 때

table 2-1 적절한 브라켓 높이 (mm)

	Central incisor	Lateral incisor	Canine	First premolar	Second premolar	First molar	Second molar
Maxillary teeth	4.5	4.25	5	4.5	4	4	3
Mandibular teeth	4	4	5	4.5	4	4	3-4

table 2-2 적절한 근원심 경사 (각도)

	Central incisor	Lateral incisor	Canine	First premolar	Second premolar	First molar	Second molar
Maxillary teeth	+5	+9	+10	0	+4	0	0
Mandibular teeth	+2	+6	+6	0	-6	0	0

목표 2: 악정형적 치료 Goal 2: Orthopedic correction

두번째 목표는 악정형적 문제를 다루는 것이다. 성장중인 환자에게 페이스보우, 기능성 장치, 페이스마스크를 사용할 수 있다. 대부분의 과개교합 증례는 수평적 골격유형의 환자에서 나타난다; 그러므로, 나는 2급 증례에서 경부 페이스보우를 주로 선택한다. 성장중인 환자가 밤마다 8~10시간 페이스보우를 착용한다면 치아는 효과적으로 반응할 것이다. 이런 반응의 일부는 만곡이 수정되고 수직피개가 열리면서 교합이 "풀리는" 효과에 의한 것이다.

3급 증례에서, 진단시에 수직적 상악골 과잉이나 부족이 있는지 결정해야 한다. 이것에 대해서는 4단원에서 상세하게 다룰 것이다.

성장이 끝난 환자에서 심각한 악정형적 문제는 통상적으로 악교정수술로 개선된다.

목표 3: 상악궁의 형성 Goal 3: Maxillary arch development

세번째 목표는 상악궁을 형성함으로써 치료를 시작하는 것이다. 알렉산더 원리에서는, 치료과정을 효율적이며 효과적으로 진행하기 위해 정밀하게 고안되고 처방된 브라켓과 호선을 사용한다. 이 브라켓 시스템은 적절한 브라켓 간격, 뛰어난 회전 조절, 정확한 토크 조절을 위해 처방된 슬롯을 제공한다. 치아에 브라켓을 위치시키는 동안 적절한 높이(표 2-1), 각도(표 2-2), 근원심 위치는 매우 중요하다.

브라켓 높이와 근원심 경사

브라켓의 정상위치는 절단연이나 교두첨에서 브라켓 슬롯의 중앙까지를 측정한다(그림 2-1). 과도한 수직피개가 있는 일부 증례에서, 6전치 브라켓을 0.5mm 절단연쪽으로 위치시키고, 구치 브라켓을 0.5mm 치은연쪽으로 위치시킨다(그림 2-2).

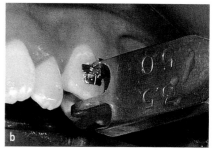

fig. 2-1   (a) 브라켓 높이 게이지. (b) 견치 브라켓 높이 측정. 브라켓의 정상위치는 절단연이나 교두첨에서 브라켓 슬롯의 중앙까지 측정한다.

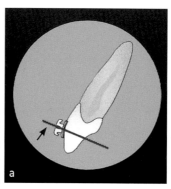
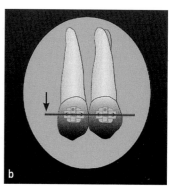

fig. 2-2   (a) 전치 압하시키기. 정출된 전치에서는 브라켓 높이를 0.5~1.0mm 줄인다. (b) 구치 정출시키기. 브라켓 높이를 0.5~1.0mm 증가시킨다.

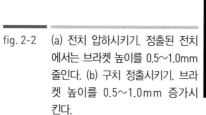

fig. 2-3   알 렉 산 더   원 리
악궁 형태 템플릿

호선 순서

회전을 제거하고, 공간을 닫고, 스피만곡을 강조하기 위해 특수한 호선을 사용한다. 이런 목적을 달성하기 위해 사용하는 호선 순서는 다음과 같다.

1. 0.016 NiTi
2. 0.016 SS
3. 17 × 25 NiTi (필요 시)
4. 17 × 25 SS

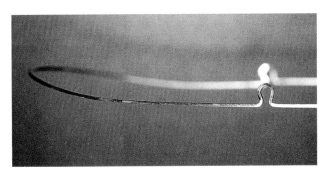

fig. 2-4 스피만곡이 견치를 지나 전방부에 적용되면, 초승달 모양 곡선이 전치에 나타날 수 있다.

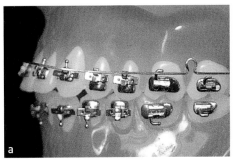

fig. 2-5 구치 튜브에 들어가는 오메가루프의 원심측 호선은 교합평면과 평행해야 하고 (a) 후방경사를 주지 않는다 (b).

악궁 형태

최종 악궁형태의 대부분이 기본 템플릿에서 하나의 표준편차(SD) 이내에 속한다.

스피만곡

초기 상악 호선(0.016 NiTi) 사용 후 강조된 스피만곡을 스틸 호선에 부여하여 교합이 열리게 한다. 호선에 적절한 스피만곡을 부여하는 것이 중요하다. 만곡은 호선상에 오메가루프의 근심에서부터 전방으로 견치의 원심 – 원심을 넘어가지 않음 – 까지 적용해야 한다. 만약에 만곡이 견치를 지나 전방부에 적용되면, 초승달 모양의 곡선이 전치부에 형성될 수 있다(그림 2-4).

오메가루프는 항상 최후방구치 튜브의 1mm 근심에 위치해야 한다. 오메가루프의 원심에서 후방구치 튜브를 향하는 호선은 후방경사 없이 교합평면과 평행해야만 한다(그림 2-5). 탄성 호선(0.016 SS, 17 × 25 NiTi)에서 교합이개를 촉진하기 위해 많은 양의 만곡을 적용할 수 있다. 안면이 성장하는 동안 호선이 전치를 압하시키거나 유지(상대적 압하)하고, 페이스보우는 구치를 안정시켜서 교합이 열리게 된다. 호선을 원심결찰하여 치아에 가해지는 힘을 교정력에서 악정형력으로 전환한다. 그러나, 17 × 25 SS 최종 호선에 만곡을 부여할 때 주의해야 한다. 이것은 매우 강한 힘이어서 만곡의 양을 신중하게 결정하여 과도한 교합이개를 방지해야 한다. 그 예로, 경력 초기에 저자는 호선에 스피만곡을 부여하는 시도를 했는데, 과개교합 증례를 개방교합으로 만들었다. 그래서 호선상에 부여된 만곡의 양을 줄이기 위해 호선을 제거해야 했다.

게다가, 각형 호선에 만곡을 부여하는 것은 상악 전치의 토크 양을 증가시킨다. 대부분의 증례에서 더 많은 토크가 필요할수록 더 증가된 만곡을 호선에 부여한다.

미소선

호선에 적용할 만곡의 양을 결정할 때, 환자의 미소선을 살펴보는 것이 중요하다. 전치 절단연이 상하순이 만나는 지점에 가까워 전체 임상치관이 보이지 않는다면 호선 만곡의 양에 매우 주의해야 한다. 미소지을 때 치은이 노출된다면 만곡을 더 부여할 수 있다. 실제의 미소선을 관찰하기 위해서 우리는 "구찌 구찌" 테크닉을 사용한다. 환자의 귀 뒤쪽을 간질이며 "구찌 구찌" 라고 말하면 어떤 환자도 활짝 웃게 된다.

다시 강조하건대, 악궁을 배열하는 이러한 방법은 매우 효과적이어서 면밀한 경과관찰 없이 과도한 만곡이 부여되면 과개교합이 개방교합으로 될 수 있다. 이런 경우가 생기면 상악 호선에서 과도한 만곡의 양을 줄인다. 제1대구치의 회전과 조절을 돕기 위해서 상악 호선 오메가루프의 원심에서 내측으로 밴드를 부여한다. 모든 스틸 호선은 삽입하기 전에 열처리한다. 초기 호선 이후, 대부분의 호선은 오메가루프를 이용하여 원심결찰한다.

교합거상장치

최종 호선을 사용하여 수 개월이 경과해도 교합이개가 적절히 되지 않으면, 신속한 치료를 위해 가철성 바이트플레이트 장치를 사용할 수 있다. 상악 악궁형태가 거의 완성될 때까지는 바이트플레이트를 사용하지 않고, 대개 하악 브라켓을 부착하기 직전에 사용한다. 그 사용시기를 늦춤으로써, 바이트플레이트 조절 횟수가 적어지게 된다. 바이트플레이트를 조절하여 폐구 시 상악 치아가 하악 브라켓에 닿지 않게 한다(그림 2-6).

어떤 증례에서는, 특수한 설측 브라켓을 상악 전치에 부착하여 같은 결과를 얻을 수 있다. Güray 교합거상장치(Ortho Technology) (그림 2-7)나 터보 바이트플레이트(그림 2-8)를 사용할 수 있다. 이런 장치를 사용하면 하악의 브라켓 부착 시기를 더 앞당길 수 있다.

순차적 적용

몇몇 교정의들은 왜 우리가 나중에 브라켓을 부착하는지 의아해 한다. 저자의 경험에 의하면 모든 것을 잘 통제하고자 한다면 한 번에 하나의 단계를 완성시키는 것이 제일이라는 것이다. 예를 들어, 하악 0.016 SS 호선에 역만곡을 부여하면 더 빠른 효과를 얻을 것이다. 그러나 전치부 순측경사와 견치폭경 확장이라는 부정적인 결과가 생기면, 불가능하진 않지만, 이후 해결하기에 쉽지 않은 상황이 된다.

목표 4: 하악궁의 형성 Goal 4: Mandibular arch development

네 번째 목표는 하악궁을 형성하는 것이다. 하악궁 치료는 보통 상악 브라켓이 부착되고 3~6개월 후 시작한다. 정확한 브라켓간 공간과 회전력 조절을 가지도록 정밀하게 고안되고, 처방된 브라켓은

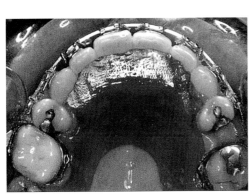

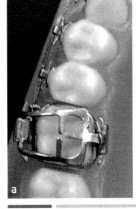

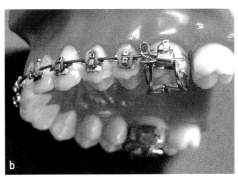

fig. 2-6 바이트플레이트   fig. 2-7 (a와 b) Güray 교합거상장치

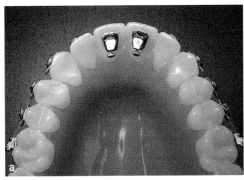

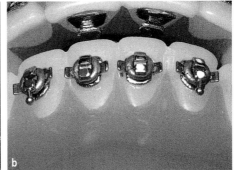

fig. 2-8 (a와 b) 터보 바이트플레이트

하악 전치의 토크 조절을 시행하는 동안 치아회전을 제거하고 공간을 폐쇄할 것이다. 제1대구치가 직립되고 악궁이 배열된다. 제2대구치에 밴드 또는 브라켓을 부착해야 한다. 브라켓 부착에 있어서, 적절한 높이(표 2-1 참조), 근원심 경사(표 2-2 참조) 그리고 근원심간 위치가 매우 중요하다.

브라켓 높이
하악 전치 브라켓은 표 2-1에 나와 있는 위치보다 절단쪽으로 놓여서는 안 된다. 아니면, 공간이 폐쇄되는 동안 상악 전치와 조기 접촉이 생길 것이다.

브라켓 근원심 경사
장기안정성에 있어서 하악 전치 치근의 평행이 얼마나 중요한가를 기억하라.

호선 순서
하악궁에서 회전을 제거하고, 공간을 폐쇄하며, 스피만곡을 강조하고, 적당한 토크를 구축하기 위해 특별한 호선을 사용한다. 이 목표를 성취하기 위해 사용하는 호선의 순서는 다음과 같다.
1. 탄성을 가진 각형의 다선 호선

2. 16 × 22 SS 혹은 17 × 25 TMA

3. 역스피만곡과 타이백을 적용한 17 × 25 SS

하악궁에서, 전치부 토크 조절이 필요하다면 초기 호선은 각형이어야 한다(전치 브라켓 토크는 −5°이다). 제1대구치에는 직립을 위해 브라켓에 −6° 전방경사를 부여한다. 초기 호선 이후에 모든 호선은 타이백한다. 그리고, 악궁배열을 위해 역스피만곡을 적용한다. 상악 호선에서 설명한 것과 유사하게 역방향으로 만곡을 부여한다. 제2대구치에 밴드부착(또는 브라켓부착)은 매우 중요한데 만곡이 부여된 호선에 제2대구치가 포함될 수 있기 때문이다. 제1대구치의 장치가 브라켓으로 전환되는 튜브형태라면, 캡을 열어 오메가루프가 제2대구치 근심에 위치할 수 있게 한다. 이렇게 하면 호선에 만곡을 더 많이 부여하게 되어 더 효과적으로 작용한다. Carcara 등[2]은 호선에서 역스피만곡이 매우 효과적이고 안정적이라는 결과를 보여주었다.

악궁 형태

적절한 하악궁 형태는 견치간 폭경을 조절하고 호선에 약간의 내측밴드를 부여함으로써 제2대구치의 협측경사이동을 방지한다.

목표 5: 상하악 악궁의 조화 Goal 5: Coordination of the maxillary and mandibular arches

각각의 악궁을 개별적으로 형성한 후, 다섯번째 목표는 악궁간의 조화를 이루는 것이다. 이 시점까지 상하악 악궁의 각각의 형태는 알렉산더 템플릿을 이용하여 만든다(그림 2-3 참조). 상악 제1대구치가 회전되었고, 하악 제2대구치는 안쪽으로 배열되고 오메가루프에 의해 토크가 부여되었다. 상하 악궁을 배열하기 위해 스피만곡을 호선에 부여하였다. 증가된 브라켓간 거리로 인해 각 증례에서 필요한 호선의 갯수가 적어지기 때문에 각 호선은 환자 구강내에서 더 오랜 기간동안 사용된다. 최종 호선을 조기에 사용하여 작용하도록 하는 것은 중요하다(이 시리즈 제1권의 원리 11 참조). 보통 3~6개월 내에 이뤄질 수 있다. 호선에 부여한 만곡이 효과적으로 작용하려면 시간이 필요하다. 만약 수직피개가 2~4개월 후에 적절하게 해소되지 않는다면 호선을 제거하여 조절이 필요할 수 있다(즉, 호선에 만곡의 양을 증가시키기). 조절을 위해 스틸 호선을 제거한 경우 재결찰하기 전에 항상 재 열처리 한다.

악간 고무줄

구내 고무줄의 목적은 상하악 악궁을 맞추는 것이다. 적절한 시기에 구내 고무줄을 사용해야 바람직하지 않은 부작용을 예방할 수 있다. 일반적으로, 특정 규칙을 따라야 한다.

고무줄을 조기에 사용하는 것은 다음의 경우에 해당된다:

- 반대교합 고무줄

- 초기 하악 호선에서 하악 전치의 순측경사를 방지하기 위한 3급 고무줄
- 개방교합을 감소시키거나 하악궁의 배열을 돕기 위한 수직 고무줄
- 하악 폐쇄루프를 사용하는 발치증례에서, 2급 고무줄은 고정원의 전방이동을 돕는다; 최대고정원 증례에서 3급 고무줄은 하악 전치의 후방 견인을 돕는다.

몇몇 고무줄의 사용은 17 × 25 SS 최종 호선이 삽입되고, 하악궁이 배열되었으며, 그리고 수직피개가 정상으로 될 때까지 사용하지 않는다. 이는 다음과 같은 경우이다:
- 2급 고무줄
- 정중선 고무줄
- 마무리 고무줄

최종 교합은 다음에 의해 형성된다:
- 상하 전치부 토크: 토크가 부여된 브라켓과 17 × 25 SS 호선
- 호선에 부여된 적절한 스피만곡에 의해 형성된 수직피개
- 페이스보우와 2급 고무줄에 의해 형성된 수평피개
- 악궁 형태와 마무리 고무줄로 형성된 구치부 교합

유지

수직적인 골격 부족을 보이는 증례의 치료 후 유지는 폐구시 교합이 되기 직전에 닿게 바이트플레이트를 유지장치에 포함시키는 것을 제외하고는 다른 증례와 동일하다. 환자는 2~3년간 또는 성장 종료시 까지 수면시에 유지장치를 착용한다.

안정성

결국에는, 가장 중요한 고려사항은 치료결과의 안정성이다. 저자의 환자들을 대상으로 연구한 Glenn,[3] Elms,[4, 5] Bernstein[6] 등의 장기간 연구에 의하면, 과개교합의 치료는 장기간에 걸쳐 안정적이다. 표 2–3에서 101명의 과개교합 환자에서 일어난 장기간의 변화를 보여준다. 이 환자들은 치료전 평균 4.8mm의 전치부 수직피개가 있었고, 치료로 2.2mm로 개선되었다. 9년 이상 지난 후에도 평균 0.5mm만의 재발을 보였다.

table 2-3 과개교합 치료의 장기간 안정성 (mm)

| No. of cases (study) | Immediately after treatment | | | | |
	Pretreatment	after treatment	Long term	Relapse	Follow-up time
28 (Glenn et al[3])	4.6	2.7	3.0	0.3	7 yr, 11 mo
42 (Elms et al[4,5])	4.8	2.0	2.5	0.5	8 y, 6 mo
31 (Bernstein et al[6])	4.76	2.09	2.84	0.75	11y, 5 mo
Average (101 total)	4.8	2.2	2.8	0.51	9 y, 3 mo

결론

구내 및 구강외 힘의 정교한 조절은 이 시스템을 매우 효과적으로 작용하게 한다. 대부분의 증례에서, 악궁 전체 치아에 동시에 교정장치를 부착하는 것은, 부분 역학의 적용과 너무 많은 호선의 교체가 필요없게 만든다. 브라켓 디자인으로 인해 조기에 더 굵고 견고한 호선의 사용이 가능하다. 브라켓간 공간의 증가로 하중변형율이 감소하고, 따라서 호선이 보다 오랜 기간 동안 작용할 수 있다. 상악 구치는 13° 회전 오프셋과 약간의 내측 밴드를 호선에 부여해서 조절하여, 횡구개호선의 필요성을 없앤다. 타이백으로 상하악 전치의 순측경사와 공극을 방지하고 악궁길이를 유지하여, 상대적 함입이 발생하여 교합이 열리는 동안 상악 전치 치근은 설측으로 이동되게 한다.

먼저 상악궁을 배열하는 것에 의해 과개교합이 열린다. 이로써 이후 하악에 브라켓을 부착하기가 쉬워진다. 하악 전치는 -5° 토크를, 하악 제1대구치에 -6° 근심경사를 부여하면 전치 위치를 조절하고 제1대구치를 직립시키는데 효과적이어서 하악궁을 배열하게 된다. 호선교체의 횟수를 줄이고 내원간격은 길게하여 이 치료법을 더 효율적으로 만든다.

최종 결과에서 보듯이 수직피개, 수평피개 그리고 전치의 토크 조절을 개선함으로써, 결과적으로 적절한 전치간 각도, 하악 제1대구치의 직립, 하악궁의 배열, 그리고 하악평면각의 유지를 얻는다.

비고: 모든 straight-wire 장치가 알렉산더 원리와 동일한 시스템을 사용하진 않으므로, 다른 모든 장치가 우리와 동일한 결과를 내지는 않는다는 사실을 이해할 필요가 있다.

참고문헌

1. Dake ML. A comparison of the Ricketts and Tweed-type arch leveling techniques. Am J Orthod Dentofacial Orthop 1989;95:72-78.

2. Carcara SJ, Preston CB, Jureyda O. The relationship between the curve of Spee, relapse, and the Alexander Discipline. Semin Orthod 2001;7:90-99.

3. Glenn G, Sinclair PM, Alexander RG. Nonextraction orthodontic therapy: Posttreatment dental and skeletal stability. Am J Orthod Dentofacial Orthop 1987;92:321-328.

4. Elms TN, Buschang PH, Alexander RG. Long-term stability of Class II, division 1, nonextraction cervical face-bow therapy: I. Model analysis. Am J Orthod Dentofacial Orthop 1996;109:271-276.

5. Elms TN, Buschang PH, Alexander RG. Long-term stability of Class II, division 1, nonextraction cervical face-bow therapy: II. Cephalometric analysis. Am J Orthod Dentofacial Orthop 1996;109:386-392.

6. Bernstein RL, Preston CB, Lampasso J. Leveling the curve of Spee with a continuous archwire technique: A long term cephalometric study. Am J Orthod Dentofacial Orthop 2007;131:363-371

증례 2-1

✚ 개요

혼합치열기의 11세 소년으로 9mm의 수평피개와 7mm의 수직피개가 있는 경도의 2급 골격 양상을 보였다(그림 2-9a에서 2-9j). 상하 악궁에 경도의 총생이 있다. 상악 전치의 얇은 치은조직을 주의깊게 관찰하였다.

✚ 검사 및 진단

환자가 심각한 치열의 문제를 가졌음에도 불구하고 아직 어리고 많은 성장이 남아 있으며, 앞으로 치아 맹출이 진행될 것이므로 영구치가 더 맹출될 때까지 치료를 연기하는 것이 추천되었다.

✚ 치료계획

2년 후, 경부 페이스보우를 사용하는 통상적인 비발치 치료를 시작했다(그림 2-9k에서 2-9gg). 이 환자는 실험적인 브라켓 시스템으로 치료했다. 상악 브라켓 슬롯은 0.020 × 0.025이고, 최종 호선은 19 × 25 SS였다. 이 시스템으로 치료한 여러 증례들을 분석한 뒤, 저자는 원래의 0.018 슬롯을 선호하게 되었다.

✚ 평가

상악 좌측 중절치의 부적절한 브라켓 위치로 인해 치아의 위치가 좋지 않았다. 또한, 하악 좌측 제1, 2대구치가 너무 협측으로 위치되었다. 2년간 치료를 연기함으로써, 우리는 환자의 성장을 이용하고 치료 기간을 감소시킬 수 있었다(그림 2-9hh에서 2-9rr).

✚ 고찰

이 환자를 치료할 때 저자는 새로운 처방을 평가하고 있었다. 상악 브라켓 슬롯은 0.020이었다(상악 견치의 트윈 브라켓에 주목하라). 치주과전문의가 치은조직을 관찰했는데 치료가 진행되는 동안 치은조직은 정상이었다.

table 2-4 호선 순서

Archwire	Duration(months)
Maxillary	
17 × 25 CuNiTi	12
19 × 25 TMA	8
Active treatment time :	20 months
Mandibular	
17 × 25 multistrand	11
17 × 25 SS	10
Active treatment time :	21 months

table 2-5 개별 힘

Force	Duration(months)
Cervical facebow	9
Elastics	
Midline/Class II left	3
Class II	2
Lateral box	1
Finishing	2

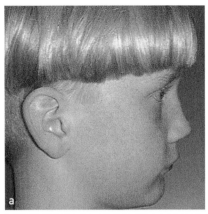
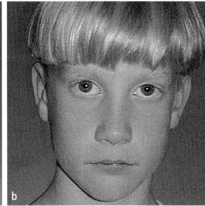
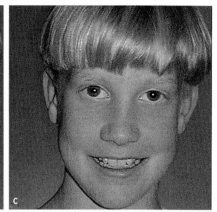

fig. 2-9 a~c 치료 전 안모사진

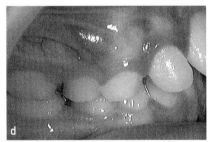
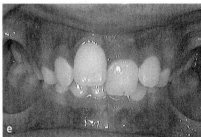
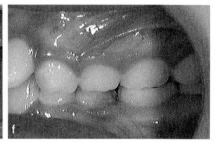

fig. 2-9 d~f 치료 전 구내사진. 2급의 좌측 구치 관계, end-on 관계의 우측 구치. 수직피개는 7mm, 수평피개는 9mm이다.

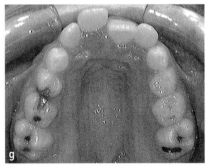
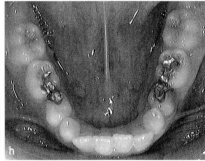

fig. 2-9 g~h 치료 전 교합면

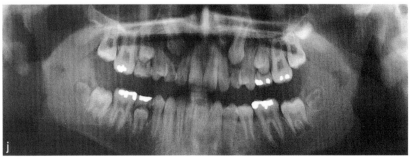

fig. 2-9 i 치료 전 측모두부방사선 사진 트레이싱. 치료는 성장이 더 진행된 이후로 연기되었다.

fig. 2-9 j 치료 전 파노라마 사진 (구내사진 촬영시기와 차이가 있음)

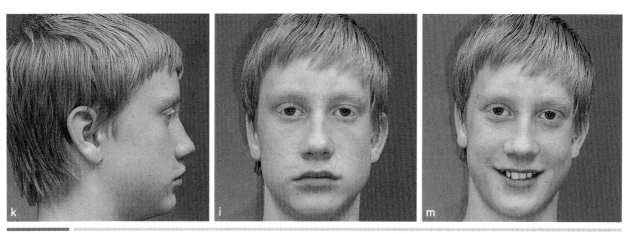

fig. 2-9 k~m 2년 후 안모사진

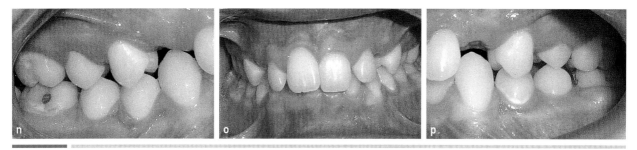

fig. 2-9 n~p 2년 후 구내사진

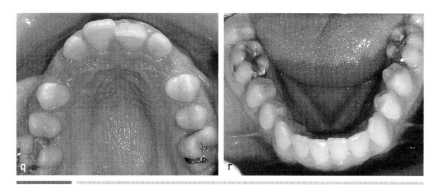

fig. 2-9 q~r 2년 후 교합면

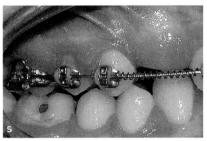
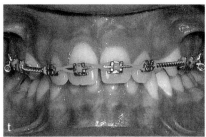
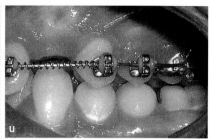
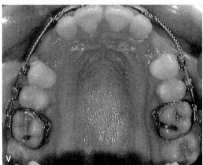

fig. 2-9 s~v 치료 4개월 구내사진: 상악 견치를 위한 코일스프링이 삽입된 2 × 4장치와 17 × 25 CuNiTi 호선

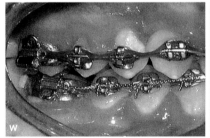
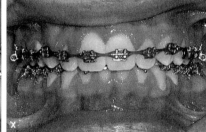
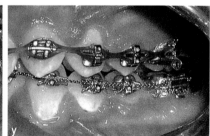
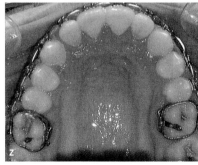
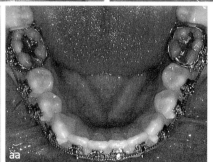

fig. 2-9 w~aa 치료 9개월 구내사진: 하악에 각형 17 × 25 다선 호선, 상악에 파워체인이 있는 17 × 25 CuNiTi 호선. 밴드부착 위한 치간이개장치를 하악 제2대구치 근심에 위치시킴.

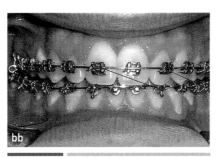

fig. 2-9 bb   6개월 후, 정중선 불일치에 관찰됨.
밤에 정중선고무줄을 착용, 그리고
하루종일 좌측 2급 고무줄 사용

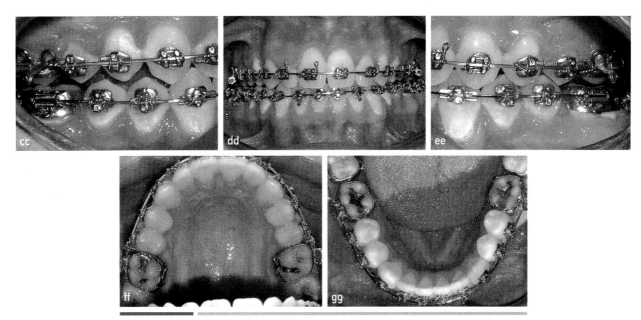

fig. 2-9 cc~gg   치료 24개월 구내사진. 협측 박스 고무줄을 하루종일 착용하기 시작함.

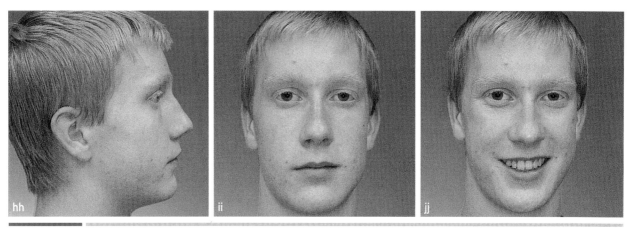

fig. 2-9 hh~jj   28개월 간의 치료 후 최종 안모사진

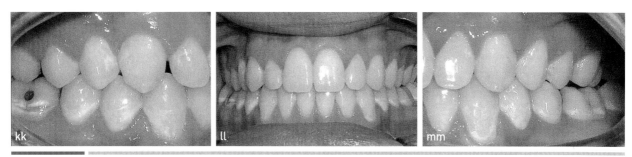

fig. 2-9 kk~mm 최종 구내사진

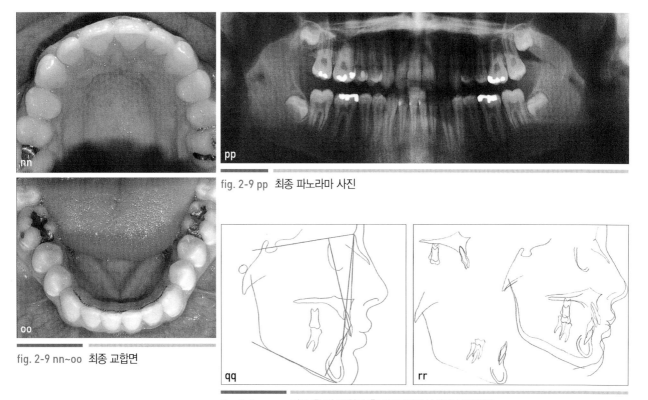

fig. 2-9 pp   최종 파노라마 사진

fig. 2-9 nn~oo   최종 교합면

fig. 2-9 qq~rr   치료 후 및 중첩된 측모두부방사선사진 트레이싱

증례 2-2

✛ 개요

어려운 증례로, 14세 소녀는 총생이 있는 2급 2류의 부정교합을 보였다(그림 2-10a에서 2-10j). 6mm의 수직피개와 5mm의 수평피개를 보인다. 직선에 가까운 볼록한 연조직 측모를 보임(그림 2-10i 참조), 미소 시, 과도한 치은의 노출을 보임.

✛ 검사 및 진단

정밀 검사를 통해, 하악 제2소구치의 결손을 발견하였다(그림 2-10j 참조). 4개의 사랑니가 모두 존재하였다. 하악에 6mm의 총생을 보임.

✛ 치료계획

환자의 측모를 유지하기 위해 상악을 비발치로 진행하기로 하였다. 2급의 골격유형을 교정하기 위해 경부 페이스보우와 2급 고무를 사용하였다. 하악에서 고정원의 전방이동을 위해서 2급 고무줄을 지속적으로 사용하면서 폐쇄루프를 활성화시켰다(그림 2-10k에서 2-10t).

✛ 평가

장기간 기록에서 보듯이, 상악 구치는 2급 위치로 더 회전시켜야 했다(그림 2-10ff에서 2-10oo 참조).

✛ 고찰

교정용 미니임플란트 (TADs)가 사용되기 전의 치료 증례로, 환자는 주의깊게 지시사항을 따랐고, 그래서 환자가 가진 문제들은 전통적인 치료역학을 이용하여 2년 내에 해소되었다(그림 2-10u에서 2-10ee).

✛ 장기안정성

10년 후, 환자는 유지장치 없이도 치열이 안정적이라는 설명에도 불구하고 하악 견치간 고정식 유지장치를 계속 유지하였다(그림 2-10ff에서 2-10mm). 선천결손인 제2소구치를 대신하여 하악 제3대구치가 기능교합으로 맹출한 것에 주목하라(그림 2-10nn에서 2-10oo). 환자에게 상악 제3대구치가 문제를 일으키기 시작한다면 발치가 필요함을 설명하였다.

table 2-6 호선 순서

Archwire	Duration(months)
Maxillary	
0.016 NiTi	4
0.016 SS	6
17 × 25 NiTi	6
16 × 22 TMA	7
Active treatment time :	23 months
Mandibular	
None	4
0.016 NiTi	2
16 × 22 TMA	1
16 × 22 SS closing loop	4
16 × 22 SS	4
17 × 25 SS	7
Active treatment time :	18 months

table 2-7 개별 힘

Force	Duration(months)
Cervical facebow	10
Elastics	
Class II	15
Triangular	3
Finishing	2

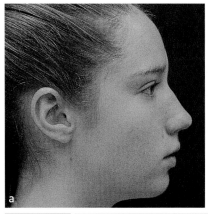
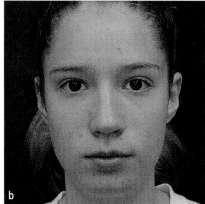

fig. 2-10 a~c   치료 전 안모사진. 나이 14세 1개월

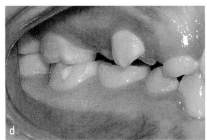
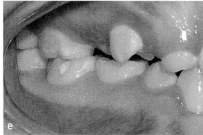
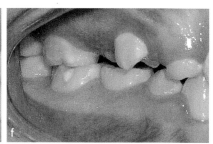

fig. 2-10 d~f   치료 전 구내사진: 2급의 구치관계, 5mm의 수직피개, 6mm의 수평피개

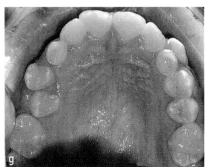
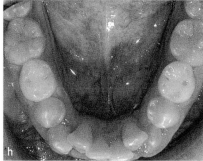

fig. 2-10 g~h   치료 전 교합면

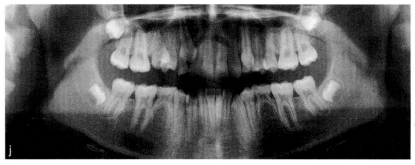

fig. 2-10 i   치료 전 측모두부방사선사진 트레이싱

fig. 2-10 j   치료 전 파노라마 사진. 하악 제2소구치 결손을 보임

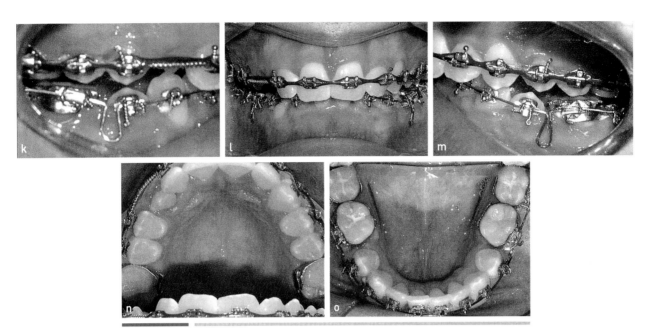

fig. 2-10 k~o   치료 9개월 구내사진. 상악 코일스프링으로 견치 맹출을 위한 공간을
형성하였고, 폐쇄루프가 있는 하악 호선을 삽입하고, 2급 고무를 사용하여
고정원을 전방이동시켰다.

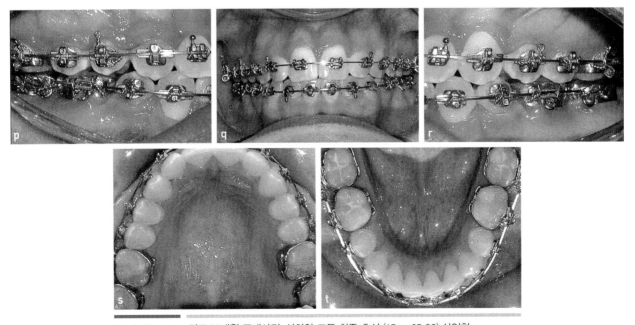

fig. 2-10 p~t   치료 20개월 구내사진. 상하악 모두 최종 호선 (17 × 25 SS) 삽입함.

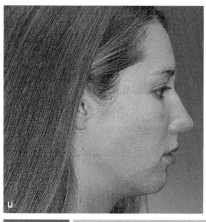
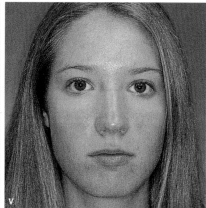

fig. 2-10 u~w   23개월 간의 치료 후 최종 안모사진

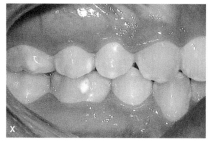
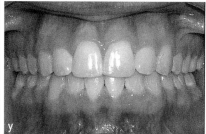
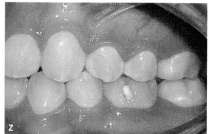

fig. 2-10 x~z   최종 구내사진

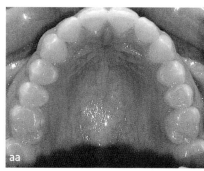

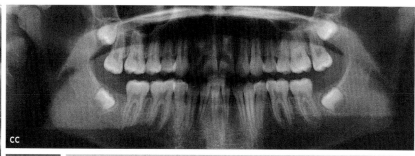

fig. 2-10 cc   치료 후 파노라마 사진. 상악 제2대구치와 하악 제3대구치의 맹출이 관찰됨

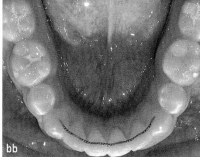

fig. 2-10 aa~bb   최종 교합면

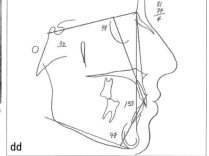
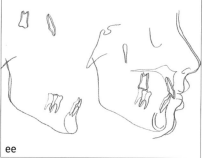

fig. 2-10 dd~ee   치료 후 및 중첩된 측모두부방사선 사진 트레이싱

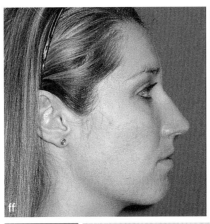
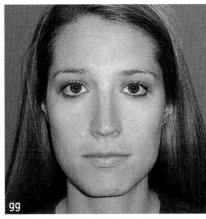

fig. 2-10 ff~hh 　최종 안모사진

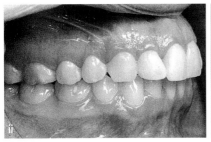
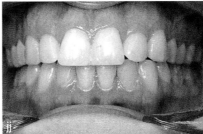
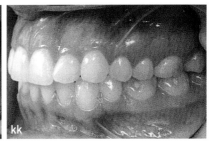

fig. 2-10 ii~kk 　치료 후 10년 뒤 구내사진

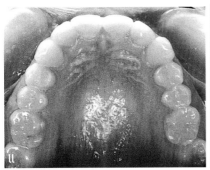
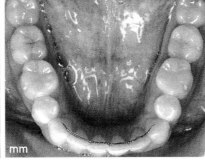

fig. 2-10 ll~mm 치료 후 10년 뒤 교합면

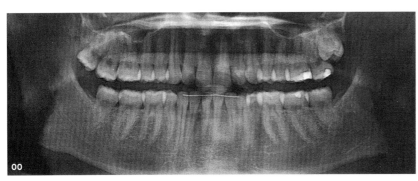

fig. 2-10 nn 　치료 후 10년 뒤 측모두부방사선
사진 트레이싱

fig. 2-10 oo 치료 후 10년 뒤 파노라마 사진.
모든 구치들이 완전히 맹출함

증례 2-3

✚ 개요
양호한 측모와 미소를 가진 33세의 남성(그림 2-11a에서 2-11c). 구치부 교합은 좋은 반면, 하악 전치부에 상당량의 총생을 보인다(그림 2-11d에서 2-11j).

✚ 검사 및 진단
주된 문제는 하악 우측 견치에서 보이는 편측성 전치부 반대교합이었다. 6mm의 심한 수직피개와 더불어 적어도 6mm의 심한 악궁길이 부족도 보인다. 상악 중절치에 비해 측절치의 크기가 약간 작다

✚ 치료계획
하악 우측 측절치를 발치하고 하악 전치 브라켓의 위치에 변화를 주기로 결정했다. 브라켓의 근원심 경사도를 중절치에는 0°, 측절치에는 4°로 부여하였다.

✚ 평가
심한 전치부 부정교합이 편측성 발치로 바로 해소되었다(그림 2-11 k에서 2-11u). 작은 상악 측절치의 크기가 견치간 폭경의 균형을 얻는데 도움이 되었다.

✚ 고찰
하악 전치 한 개만을 발치하는 것은 매우 드문데, 이 증례는 여기에 꼭 맞는 경우였다. 한 개의 전치만 발치하는 경우 치근 위치의 변경이 필요하다. 중절치는 0°, 측절치는 4° 그리고 견치는 통상적인 6°의 각도를 가져야 한다.

table 2-8 호선 순서

Archwire	Duration(months)
Maxillary	
0.016 NiTi	2
0.016 SS	2
17 × 25 TMA	6
17 × 25 SS	14
Active treatment time :	24 months
Mandibular	
0.016 NiTi	4
0.016 SS	4
17 × 25 TMA	2
17 × 25 SS	11
Active treatment time :	21 months

table 2-9 개별 힘

Force	Duration(months)
Cervical facebow	10
Elastics	
Class II	On & off
Crossbite	2
Finishing	4

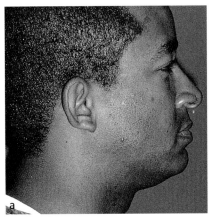

fig. 2-11 a~c   치료 전 안모사진

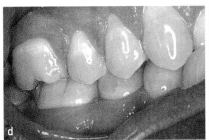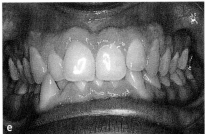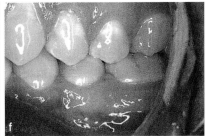

fig. 2-11 d~f   치료 전 구내사진: 1급의 구치관계, 6mm의 수직피개 그리고 2mm의 수평피개

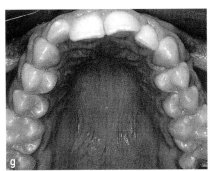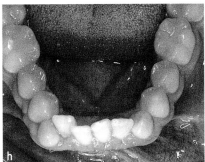

fig. 2-11 g~h   치료 전 교합면. 하악에서 심한 전치부 총생을 보임

fig. 2-11 i   치료 전 측모두부방사선 사진 트레이싱

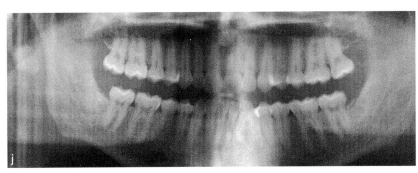

fig. 2-11 j   치료 전 파노라마 사진

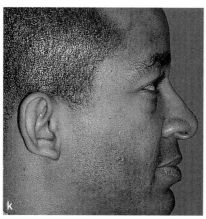

fig. 2-11 k~m   25개월 간의 치료 후 최종 안모사진

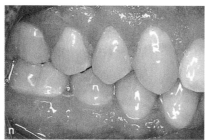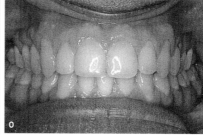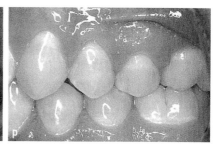

fig. 2-11 n~p   최종 구내사진

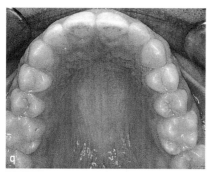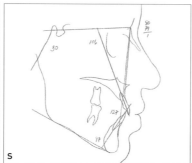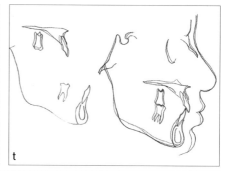

fig. 2-11 s~t   치료 후 및 중첩된 측모두부방사선 사진 트레이싱

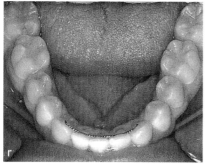

fig. 2-11 q~r   최종 교합면

The Alexander Discipline
Unusual and Difficult Cases

Chapter 03
경계선 증례의 치료:
악정형력과 교정력의 결합

The Alexander Discipline Unusual and Difficult Cases

03 경계선 증례의 치료: 악정형력과 교정력의 결합

Borderline Treatment: Combining Orthopedic and Orthodontic Forces

"Nothing is more difficult, and therefore more precious, than to be able to decide."
"무엇보다 어렵고도 가치있는 것은, 결정을 내릴 수 있는 능력이다."
-Napoleon Bonaparte

유럽과 미국을 통틀어 대부분의 교정의사들은, 일반적인 병원에서 약 50%의 증례가 비발치이고, 20%가 발치 증례라는 데 동의한다. 문제는 나머지 30%의 경계선 증례를 어떻게 치료할 것인가이다. 경계선 증례의 치료에는 일반적으로 안면 폭경의 변화가 포함된다.

안면 폭경은 환자의 일생에 걸쳐 자연적으로 변화한다. 이러한 변화는 발육에 따른 변화로 일컬어진다. 예를 들어, 연구에 따르면 영구견치가 맹출한 직후 견치 폭경이 감소된다고 한다.[1] 청소년기에서 성인기로 전환되면서 상악 구치간 폭경은 동일하거나 약간 증가한다. 하악 구치간 폭경도 이와 유사하게 반응한다. 악궁 길이와 깊이는 증령에 따라 상하악 모두에서 감소하고, 그 정도는 하악에서 더 크다. Sinclair & Little[1]은 혼합치열에서 영구치열로 전환되는 동안 악궁 길이가 거의 5mm 감소하는 것을 발견하였다. 악궁 둘레는 상악에서 증가하고 하악에서는 감소한다. 최근 임플란트 연구에 의하면, 상하악 기저골 또한 성장에 따라 변화한다고 한다.[2] 이러한 안면 폭경이 교정 치료로 조절될 수 있다면, 발치-비발치 경계선에 놓인 더 많은 환자가 비발치로 치료될 수 있을 것이다.

폭경의 활용 Exploiting the Transverse Dimension

악안면 복합체 중에서 상악의 폭경이 가장 예측가능한 변화를 얻을 수 있다는 이론은 현재 문헌상의 근거를 가진다. 이는 어린 환자에서 가장 효과적이며 일반적으로 안정적이다.[3] 저자의 임상 경험에 의하면, 폭경의 증가는 호선과 페이스보우 사용으로 구치부를 협측으로 직립시켜서 얻으며 일반적으로 안정적이다.

Glenn 등[2]은 우리 병원의 28명의 증례를 이용한 연구에서, 약간의 영구적인 상하악궁의 확장이 협측부에서 일어난 것을 보고하였다. Elms 등[4]은 더 많은 양의 영구적인 확장을 보고하였다. 급속구개확장장치(RPE)를 통해 상악골의 영구적인 폭경 확장이 발생한다면 변화된 상악궁의 형태에 맞추어 하악 치아가 직립되거나 확장될 수 있고 또 안정적일 수 있다는 것은 타당하지 않을까? 따라서, 폭경의 부조화를 보이는 증례에서, 우리는 일반적으로 상악에 급속구개확장장치와 하악에 립범퍼를 사용하여 악정형적 치료를 시작한다. 립범퍼는 하악궁의 폭경과 전후방적 공간을 얻기 위해 흔히 사용되는 장치이다.

몇몇 증례에서는 하악 구치가 설측으로 경사된 경우 상악이 확장된 후 하악 구치가 자동적으로 직립하는 현상이 생긴다. 이러한 치아이동은 예측하기 매우 어려우므로 모든 증례에서 발생할 것으로 기대해서는 안 된다.

경계선 증례의 진단과 치료계획 Diagnosis and Planning for Borderline Cases

증례 선택

어떤 부정교합의 경우에서든 폭경의 증가를 고려할 때 적절한 진단과 치료계획 수립은 필수적이다. 이런 접근법은 환자가 다음과 같은 특정 문제를 가지고 있는 경우에만 성공적이다.

- 좁은 상악궁(33mm 이하)과 하악궁(구치부 반대교합 여부와 상관없이)
- 상악 또는 하악의 치아크기-악궁길이 부조화
- 균형된 혹은 함몰된 연조직 측모(볼록한 측모에서 좁은 구치폭경을 보이는 경우는 드물다)
- 1, 2, 3급의 골격유형
- 작거나 평균적인 하악평면각(수직적 골격유형은 확장보다는 발치가 필요하다)
- 혼합치열, 후기 혼합치열, 영구치열, 혹은 성인의 치열(일부 환자에서)

일반적으로, 협측확장은 악궁길이 부조화를 보이는 양호한 안모를 가지고 있는 환자에서 사용되는데 확장이 아니면 제2소구치의 발치가 필요할 수 있는 경우이다(선택된 증례들에서 이러한 치료

계획을 도입한 후 제2소구치 발치 증례수가 감소하였다). 또 악궁길이 부조화가 있는 골격성 2급 부정교합의 경우 이러한 접근법으로 치료할 수 있다.

치료 시기

이러한 치료의 시작 시기에 관한 결정은 많은 요소들에 의해 영향을 받는다. 저자가 해줄 수 있는 최고의 조언은 너무 이른 시기에 치료를 시작하는 것에 대해 매우 신중하라는 것이다. 차단교정은 치료를 연기했을 때 나중에 가서 치료가 더 어려워지는 경우에만 시작해야 한다. 립범퍼 치료는 견치가 완전히 맹출하기 전, 하악 제2유구치 탈락 직전에 시작하는 것이 매우 효과적이다. 또한 폭경의 증가는 선택된 1차 교정증례(7~9세 환자들)와 영구치열이 조기 맹출로 완료된 증례에서 좋은 결과를 얻는다.

폭경 확장을 위한 장치 Appliances Used for Transverse Expansion

악궁내에서 확장을 얻기 위해 사용되는 최적의 장치는 급속구개확장장치(상악 확장)와 립범퍼(하악 확장)이다.

급속구개확장장치

상악 제1대구치와 완전히 맹출된 제1소구치에 밴드를 부착한다. 하이렉스 타입의 잭스크류를 사용하고 와이어 연장부를 납땜한다(그림 3-1). 장치 부착시 환자(또는 부모)를 교육하여 스크류를 24시간마다 1/4바퀴씩 돌리게 한다(이 시리즈 1권의 box 8-2 참조). 환자에게 나사를 돌리면 일시적인 압박감을 느끼지만 몇초 이내에 사라질 것이라고 설명한다. 또한 환자는 워터젯(예를 들어, 워터픽)을 매일 사용하여 구강 청결을 유지하고, 양 중절치 사이에 공간이 생길 것을 미리 알려준다.

4주 동안 매일 돌리면 약 7mm의 확장이 형성될 것이다. 목표는 상악궁을 확장하여 상악 제1대구치의 구개측 교두첨이 하악 제1대구치 협측에 도달하는 교차교합이 되게 하는 것이다. 이 목표가 성취되면, 이 장치를 레진으로 막아두고 최소 4개월에서 보통 6개월까지 횡적 공간유지장치로 기능하도록 유지한다. 장치를 제거할 때 밴드, 브라켓 그리고 호선을 즉시 삽입하여 확장된 악궁 형태를 유지하도록 한다. 환자가 아직 본교정 치료를 시작할 준비가 되지 않았다면, 구개 전체를 덮는 가철성 유지장치를 야간에 착용한다. 횡구개호선도 사용될 수 있다.

저자가 사용하는 장치의 디자인은 Haas에 의해 고안된 원래의 형태와 4가지의 큰 차이점이 있다:

1. 모두 금속으로 구성된다.
2. 잭스크류는 구개에서 더 후방에, 제1대구치와 평행하게 위치한다.
3. 잭스크류를 최대한 구개면에 가깝게 위치시킨다(구개 연조직에서 3~4mm 뜨게).
4. 스크류가 잘 보이게 노출시키기 위해서 20도 경사를 주어, 확장 키를 끼우고 돌리기 쉽게 한다.

이 디자인은 수직력은 감소시키고 수평력을 증가시켜서 치아의 경사이동은 감소하고 정중구개봉합의 분리는 향상된다. 전체 디자인이 금속이기 때문에 아크릴 레진에 비해 우수한데, 왜냐하면 환자가 구강위생을 유지하기 훨씬 용이하기 때문이다. 전체가 금속으로 된 급속구개확장장치를 막아두면 고정성 공간유지장치로 사용할 수 있고, 위생적인 문제없이 6개월 이상 구내에 유지할 수 있다. 환자의 나이에 따라 다음의 3가지 디자인을 사용할 수 있다.

1. 영구 치열: 제1소구치와 제1대구치에 밴드 부착.
2. 혼합 치열: 대구치에만 밴드 부착.
3. 유치열: 고정성 아크릴 구개확장장치.

급속구개확장장치 디자인에 관한 더 많은 정보가 필요하면, 이 시리즈 제1권의 8장을 참조하기 바란다.

립범퍼

Nevant 등[5]은 한 연구에서, 협조도가 좋은 환자에서 립범퍼 치료로 세가지 영역에서 악궁 공간을 얻을 수 있다고 하였다:

1. 하악 전치가 3도 가량 전방경사되어 1.5mm의 공간을 얻는다.
2. 하악 제1대구치가 원심경사이동되어, 양쪽에서 각각 1.5mm의 공간이 생긴다.
3. 양측으로 대구치가 각각 2mm 가량 협측으로 이동한다.

이러한 이동들이 합쳐져서 하악에서 6~8mm의 공간을 얻을 수 있다. 또 이 연구에서는, 레진 패드가 있는 립범퍼가 튜브만 끼워 놓은 디자인보다 훨씬 효과적이라는 것을 보여준다.

급속구개확장장치를 레진으로 막을 때, 하악 제1대구치에 치간이개고무를 위치시킨다; 2주 후, 이 치아에 립범퍼 전용튜브가 달린 밴드를 부착하고, 립범퍼를 장착한다(그림. 3-2). 하루 24시간 동안 먹을 때와 양치질 할 때를 제외하고 립범퍼를 착용하도록 환자를 교육한다.

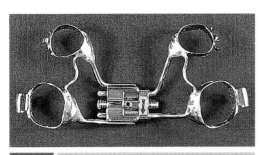

fig. 3-1   장착할 준비가 된 급속구개확장장치

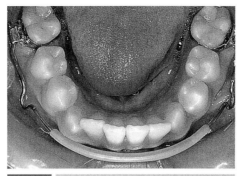

fig. 3-2   하악에 삽입된 립범퍼

립범퍼의 조절

매 4주마다 립범퍼를 네가지 방향에서 조절한다.

1. 협설측으로 립범퍼의 끝이 튜브에 용이하게 끼워지도록 조절한다.
2. 튜브를 기준으로 3~4mm의 폭경을 확장시킨다.
3. 순설측으로 레진 패드가 하악 전치의 3mm 순측에 위치하도록 조절한다.
4. 마지막은 수직적 위치이다. 립범퍼가 하악 전치의 치은연상 또는 그 하방에 위치하게 한다.

Nevant 등[5]은 레진 패드의 위치에 상관없이 전치가 유사한 방식으로 반응함을 보여준다.

4주 간격으로 내원시, 장치를 제거했을 때 장치가 얼마나 능동적인지 또는 수동적인지를 보면 환자의 협조도를 쉽게 알 수 있다. 협조도가 좋으면 립범퍼는 폭경의 측면에서 튜브에 쉽게 끼워지고 따라서 조절이 필요하게 된다. 정상적으로 립범퍼의 전방부가 하악전치에 거의 접촉된다. 협조도가 나쁘면 이전에 조절된 상태에서 여전히 "능동적"이어서 장치의 재조절이 거의 필요없을 것 이다.

몇몇 증례에서는 하악에 밴드와 브라켓을 삽입한 후에도 립범퍼를 사용할 수 있다. 이런 증례의 대부분은 치료 시작 당시 심한 악궁길이 부족을 보였지만, 립범퍼 치료에 의해 새로운 공간을 얻게 된다. 립범퍼는 하악 전치를 전방으로 약간 경사시키지만, 초기 호선으로 공간이 폐쇄되면서 전방경사는 감소된다. 이는 0.016 SS 와이어 상에 대구치에서 대구치까지의 파워체인의 사용과 지속적인 립범퍼 치료를 통해 얻게 된다. 하악 공간이 모두 폐쇄된 후에야 립범퍼 사용을 중단한다.

혼합 치열 증례에서, 공간은 생겼지만 환자가 본교정 장치를 위한 준비가 되지 않은 경우, 립범퍼를 몇 개월간 밤에만 착용하거나, 또는 환자협조를 얻을 필요 없이 설측호선을 위치시켜 악궁 길이를 유지할 수 있다. 립범퍼 치료에 대한 더 많은 정보가 필요하면 이 시리즈 제1권의 8장을 참조하라.

치료 시기

급속구개확장장치와 립범퍼를 사용하여, 치아크기-악궁길이 부조화의 해소를 위한 공간을 확보하는데 대개 치료기간의 1/3이 소요된다. 이러한 폭경 확장을 위한 악정형치료의 다음 단계는 교정치료 단계가 진행된다 - 전악교정장치와 교합을 완성하기 위한 악간 고무줄의 사용. 이 단계가 치료 기간의 나머지 2/3를 차지하게 된다.

재발

폭경 확장으로 공간을 확보한 뒤 재발이 발생할 수 있음을 이해하는 것이 중요하다. 확장 직후에는 치아의 위치는 안정적이지 않다. 이것을 조절하기 위해서 증례들을 과치료해야 한다. 환자가 혼합치열기이면 유지장치를 이용하여 확장을 유지하려는 노력이 필요하다. 환자가 브라켓을 부착할 준비가 되었다면 고정성 장치의 사용으로 적절한 치축 경사를 얻어야 한다.

폭경 확장 동안 급속구개확장장치와 립범퍼가 구치부를 직립시키고, 전치는 경사이동시킨다. 이것이 바로 확장 직후 교합이 불안정한 이유이다. 안정성을 얻기 위해서 치근이 적절한 치축경사로 위치되어야 한다. 0.018 브라켓 슬롯에 17 × 25 SS 호선을 사용하는 알렉산더 시스템의 토크 처방으로 치아는 기능적이고 안정된 위치로 배열될 것이다.

Buschang 등[6]은 립범퍼와 급속구개확장장치 치료 후 재발과 단기간 안정성을 판단하기 위한 연구를 하였다. 연구의 결론은 다음과 같다:

- 치료를 통해 악궁 둘레와 폭경의 전반적인 증가를 보였다.
- 립범퍼를 사용하면 하악 전치의 두드러진 전방경사 없이 6~7mm의 공간을 얻거나 유지할 수 있다.
- 구치 직립, 구치 확장, 전치 전방경사 그리고 leeway space의 유지가 함께 작용하여 공간이 형성된다.
- 재발은, 견치에서 50%의 재발을 보이며, 그 양은 1.2~0.6mm 사이이다. 소구치와 대구치 폭경 증가량의 약 90%가 치료 후 안정적으로 유지된다.

게다가, 개선된 치축경사를 얻기 위해서 급속구개확장장치를 전악교정 장치와 같이 사용하면, 유지기 이후, 상대적으로 재발이 적게 나타났다.

2005년, 협측 확장의 안정성에 관한 첫번째 장기간 연구가 Ferris 등[7]에 의해 보고되었다. 유지장치 없이 평균 7년 11개월이 경과한 20명의 환자들(여성 11명, 남성 9명)을 대상으로 하였는데, 치료를 통해 상악과 하악에서 악궁 폭경이 증가하였음을 연구 결과는 보여주었다. 몇몇 계측치들은 치료 후에 감소하였으나, 상당량의 확장이 유지되었다. 급속구개확장장치와 립범퍼 치료에 이어 진행된 본교정치료로 악궁 폭경의 상당한 증가를 얻었다고 결론내었다. 이러한 테크닉은 경도의 치아크기- 악궁길이 부족을 해소하기 위한 적절한 치료방법으로, 양호한 장기간 안정성을 얻을 수 있다.

중등도 총생과 적절한 폭경을 가진 증례 Adequate Transverse
Dimension with Moderate Crowding

영구 치열에서 경계선 증례는 종종 특정 치료역학과 치간법랑질 삭제(인접면 삭제)를 통해 비발치로 치료할 수 있다. 견치폭경과 하악 전치부 총생의 조절은 반드시 얻어야 하는 반면, 단순한 치료역학으로 경도의 (2~5mm) 치아크기-악궁길이 부조화를 보이는 환자를 치료할 수 있다.

통상적으로 상악부터 치료를 시작한다. 필요시 페이스보우를 사용한다. 치료에서 중요한 시점은 하악에 교정장치를 부착하는 시기이다. 브라켓에는 전치에 −5° 토크, 제1대구치에는 −6°의 근원심 경사가 부여되어 있다. 치간법랑질 삭제를 견치에서 견치까지 시행할 수 있다. 내원 후 첫 72시간 동안 3급 고무줄을 사용한다.

가능하다면 토크 조절을 위해 탄성 각형의 하악호선을 초기에 적용한다. 몇몇 환자에서, 총생이 심한 경우에 원형호선의 사용이 필요하다. 제한적으로 3급 고무줄을 사용함으로써 전치를 유지하고 과도한 순측경사를 방지한다. 치아회전이 해소되고 브라켓 슬롯에 호선 삽입이 용이해질 때까지 주기적인 치간법랑질삭제의 시행이 필요하다. 최종 호선은 6~9개월 동안 사용되어야 한다.

전후방적 길이

경계선 증례의 치료에서는 폭경이 주안점이다. 폭경에서의 이용 가능한 공간이 부족할 때 확장이나 발치가 필요하다. 그러나 전후방길이에서도 변화가 필요할 수 있다. 환자가 이러한 문제를 가진다면 몇가지 선택을 할 수 있다. 2급 골격유형(성장기의 어린이에서)의 적절한 악궁폭을 가진 경우 항상 비발치로 페이스보우나 기능성 장치를 동반한 악정형적인 치료를 적용한다. 환자가 1급 골격유형에 2급의 구치관계를 가진다면 교정용 미니임플란트(TADs), 자석, 코일스프링으로 구치를 원심이동시키거나 아니면 상악 소구치를 발치하게 되는데, 이때 발치 이후 측모의 변화를 반드시 고려해야 한다.

수직 길이

최근의 연구들에 의하면,[8] 교정용 미니임플란트에 파워체인을 걸어 구치의 압하와 바람직한 수직 고경의 감소를 얻을 수 있다.

결론

확장을 진행하는 동안 하악 전치의 순측경사는 3° 이내로 제한하고, 견치간 폭경의 변화도 원래 수치에서 1mm 이내로 유지되어야 한다. 하악 6전치에서는 많은 이동이 허용되지 않는다. 그러나, 구치부 (소구치와 대구치)에서는, 원래 악궁이 좁아져 있었다면, 상당량 확장될 수 있고 또 유지될 수 있다. 만약 하악 견치간 폭경이 과도하게 확장되고, 하악 전치가 순측경사되며, 상악 전치의 토크가 조절되지 않고, 구치가 과다하게 확장되며, 하악궁이 잘 배열되지 않았거나 또는 수직 조절이 부족하면 장기적으로 환자의 치열은 안정적이지 못할 것이다.

참고문헌

1. Sinclair PM, Little RM. Maturation of untreated normal occlusions. Am J Orthod 1983;83:114-123.
2. Glenn G, Sinclair PM, Alexander RG. Nonextraction orthodontic therapy: Posttreatment dental and skeletal stability. Am J Orthod Dentofacial Orthop 1987;92:321-328.
3. Bernstein RL, Preston CB, Lampasso J. Leveling the curve of Spee with a continuous archwire technique: A long term cephalometric study. Am J Orthod Dentofacial Orthop 2007;131:363-371.
4. Elms TN, Buschang PH, Alexander RG. Long-term stability of Class II, division 1 nonextraction cervical face-bow therapy: 1. Model analysis. Am J Orthod Dentofacial Orthop 1996;109:271-276.
5. Nevant CT, Buschang PH, Alexander RG, Steffen JM. Lip bumper therapy for gaining arch length. Am J Orthod Dentofacial Orthop 1991;100:300-336.
6. Buschang PH, Horton-Reuland SJ, Legler L, Nevant C. Nonextraction approach to tooth size arch length discrepancies with the Alexander Discipline. Semin Orthod 2001;7:117-131.
7. Ferris T, Alexander RG, Boley J, Buschang PH. Long-term stability of combined rapid palatal expansion-lip bumper therapy followed by full fixed appliances. Am J Orthod Dentofacial Orthop 2005;128:310-325.
8. Buschang PH, Carrillo R, Rossouw PE. Orthopedic correction of growing hyperdivergent, retrognathic patients with miniscrew implants. J Oral Maxillofac Surg 2011;69:754-762.

증례 3-1

✚ 개요
8세 소녀는 상악궁에 공극과 하악 전치부에 심한 총생을 보인다(그림 3-3a에서 3-3j).

✚ 검사 및 진단
5mm의 수직피개와 4mm의 수평피개를 보이며, 구치는 1급 관계이다. 상악 좌우 유측절치가 남아 있었다; 맹출을 촉진하기 위해 발치가 추천되었다. 이 환자는 총생과 과개교합이 있는 1급 교합관계로 진단되었다. 하악 우측 측절치가 설측으로 맹출하여, 심한 악궁길이 부족이 생겼다.

✚ 치료계획
급속구개확장장치(RPE), 립범퍼 그리고 제한적인 페이스보우 사용을 포함하여 비발치로 1단계 치료를 계획하였다. 1단계 치료결과는 그림 3-3k부터 3-3r에서 보여준다. 그리고 영구치열이 맹출될 때까지 경과관찰하였다(그림 3-3s에서 3-3bb). (돌이켜보면, leeway space를 최대한 이용할 수 있게 설측호선을 장착했어야 했다). 2단계 치료는 33개월 후에 시작했다. 치료기간은 18개월이었다. 최종 결과는 그림. 3-3cc부터 3-3mm에서 보여준다.

✚ 평가와 고찰
치료 후 14년 뒤에도 안정적으로 유지된 좋은 결과를 얻었다(그림 3-3nn에서 3-3ww). 이 증례는 좋은 성장과 폭경 확장으로 악궁길이, 조화로운 난원형의 악궁형태와 미소를 얻은 좋은 사례이다.

table 3-1 호선 순서

Archwire	Duration(months)
Phase I	
Maxillary	
0.016 NiTi	2
0.016 SS	6
17 × 25 SS	6
Active treatment time :	14 months
Mandibular	
None	
Phase II	
Maxillary	
0.016 NiTi	2
0.016 SS	3
17 × 25 SS	13
Active treatment time :	18 months
Mandibular	
17 × 25 CuNiTi	4
17 × 25 TMA	2
17 × 25 SS	8
Active treatment time :	14 months
Active treatment time :	32 months

table 3-2 개별 힘

Force	Duration(months)
Phase I*	
Rapid palatal expander	6
Cervical facebow	11
Phase II*	
Elastic	
Class II	4
Finishing	2

* No brackets placed on anterior teeth.

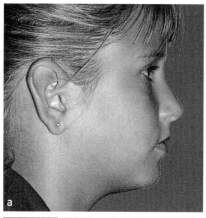
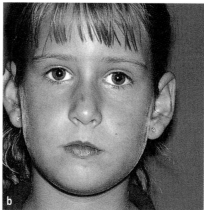
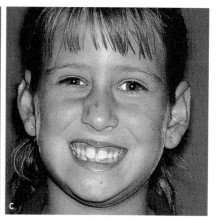

fig. 3-3 a~c 치료 전 안모사진

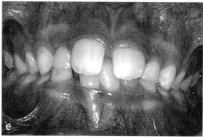
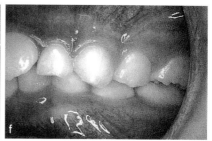

fig. 3-3 d~f 치료 전 구내사진. 구치관계는 1급이다. 수직피개는 5mm, 수평피개는 4mm

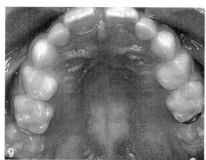
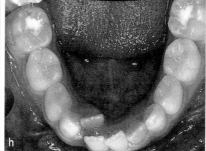
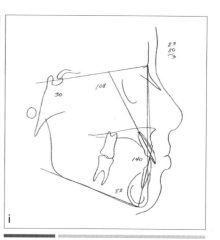

fig. 3-3 g~h 치료 전 교합면

fig. 3-3 i 치료 전 측모두부방사선사진 트레이싱

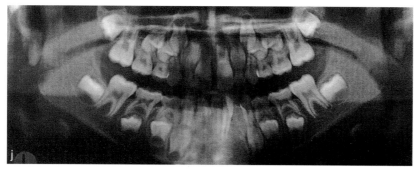

fig. 3-3 j 치료 전 파노라마 사진

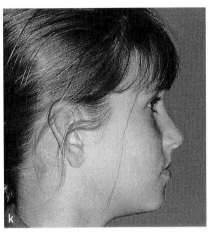
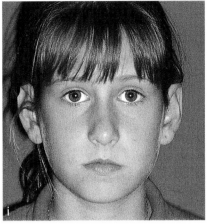
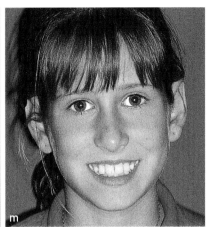

fig. 3-3 k~m 1단계 치료 종료 시 최종 안모사진

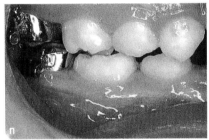
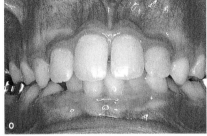
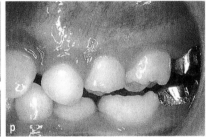

fig. 3-3 n~p 1단계 치료 종료 시 구내사진

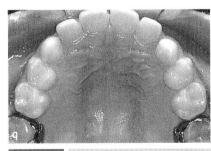
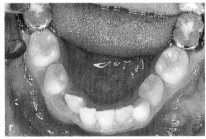

fig. 3-3 q~r 1단계 치료 종료 시 교합면

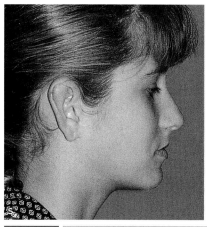
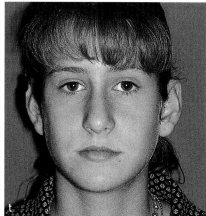
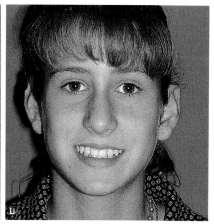

fig. 3-3 s~u 2단계 치료 시작 시 안모사진

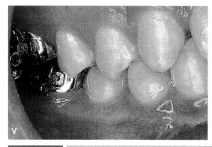
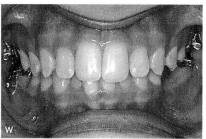
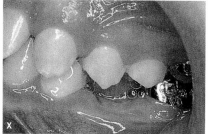

fig. 3-3 v~x 2단계 치료 시작 시 구내사진

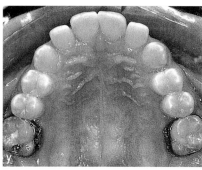
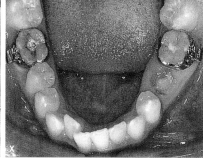

fig. 3-3 y~x 2단계 치료 시작 시 교합면

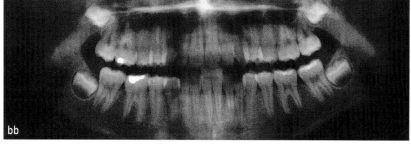

fig. 3-3 aa 2단계 치료 시작 시 측모두부방사선 사진 트레이싱

fig. 3-3 bb 2단계 치료 시작 시 파노라마 사진

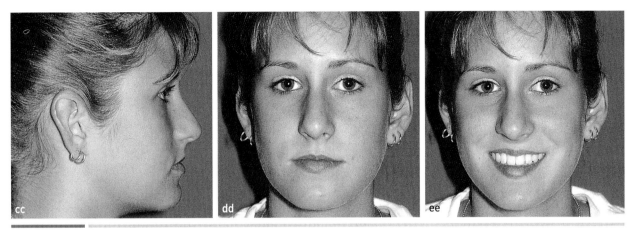

fig. 3-3 cc~ee   2단계 치료 종료 시 최종 안모사진. 총 치료 기간은 18개월이다

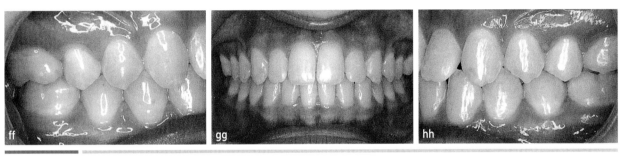

fig. 3-3 ff~hh   최종 구내사진. 수직피개는 2mm, 수평피개는 2mm

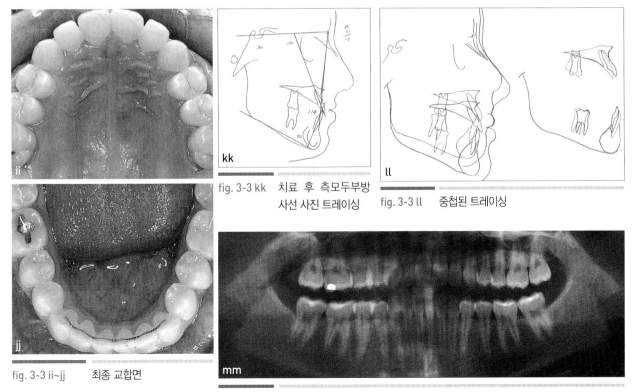

fig. 3-3 kk   치료 후 측모두부방 사선 사진 트레이싱

fig. 3-3 ll   중첩된 트레이싱

fig. 3-3 ii~jj   최종 교합면

fig. 3-3 mm   치료 후 파노라마 사진

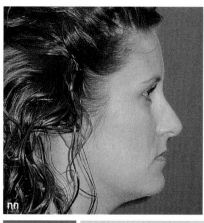
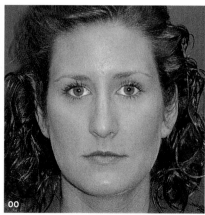

fig. 3-3 nn~pp   치료 후 14년 뒤 안모사진

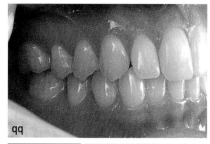
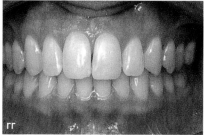
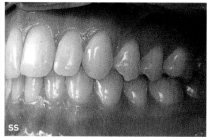

fig. 3-3 qq~ss   치료 후 14년 뒤 구내사진

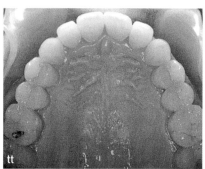
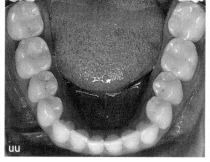

fig. 3-3 tt~uu   치료 후 14년 뒤 교합면

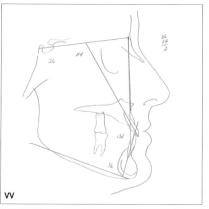

fig. 3-3 vv   치료 후 14년 뒤 측모두부방사선
사진 트레이싱

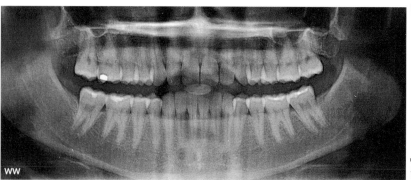

fig. 3-3 ww 치료 후 14년 뒤 파노라마 사진

증례 3-2

✚ 개요

나이 17세 2개월의 소녀는 우측 구치가 절단교합(end-to-end)이고 좌측은 1급 관계로, 비대칭적 교합을 보였다(그림 3-4a에서 3-4f). 하악에서 경미한 총생을 보이나, 상악에는 심한 심한 총생(6mm)이 있다(그림 3-4g에서 3-4j). 환자는 볼록한 연조직 측모를 보이나(그림 3-4i 참조) 미소선은 양호하다.

✚ 검사 및 진단

잘 발달한 상악 전치의 구개면이 5mm의 수평피개에 더해졌다. 35mm 구치폭경으로 추가적인 확장은 어려웠다.

✚ 치료계획

상하악에 상당량의 치간삭제 및 상악전치 구개면의 교합조정을 포함한 비발치 치료로 계획하였다

✚ 평가

환자의 협조도가 매우 우수해 17 × 25 SS 호선 삽입 후 악간고무줄의 적절한 사용으로 최종교합이 형성되었다(그림 3-4k에서 3-4u).

✚ 고찰

안정성 측면에서는 발치 또는 비발치로도 치료될 수 있는 단순한 증례였다. 주된 고려사항은 최종 연조직 측모였다.

✚ 장기안정성

치료 후 9년 뒤, 환자의 연조직 측모는 지속적으로 개선되었다(그림 3-4v에서 3-4cc). 환자는 하악 견치간 고정성 유지장치를 제거하지 않기를 원했다.

table 3-3 호선 순서

Archwire	Duration(months)
Maxillary	
0.016 NiTi	3
0.016 SS	2
17 × 25 SS	17
Active treatment time :	22 months
Mandibular	
17 × 25 CuNiTi	5
16 × 25 SS	4
17 × 25 SS	11
Active treatment time :	20 months

table 3-4 개별 힘

Force	Duration(months)
Elastics	
Midline/Class II right	5
Class II	3
Anterior box	3
Finishing	2

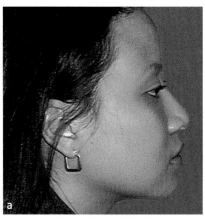
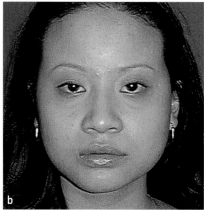

fig. 3-4 a~c 치료 전 안모사진

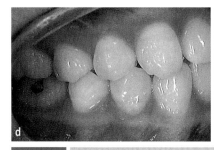
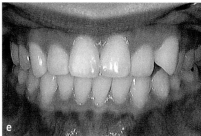
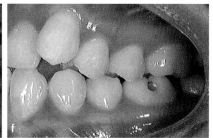

fig. 3-4 d~f 치료 전 구내사진. 구치관계는 우측이 절단교합 (end-to-end), 좌측이 1급이다. 수직피개 1mm, 수평피개 5mm.

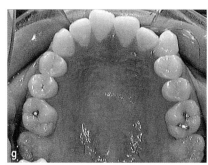
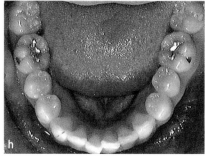
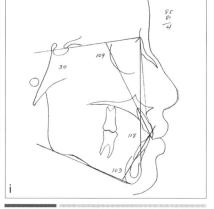

fig. 3-4 g~h 치료 전 교합면. 상악 구치폭경이 35mm이고, 전치부에 총생이 있다.

fig. 3-4 i 치료 전 측모두부방사선 사진 트레이싱

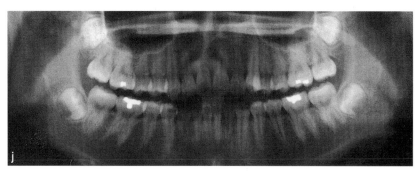

fig. 3-4 j 치료 전 파노라마 사진

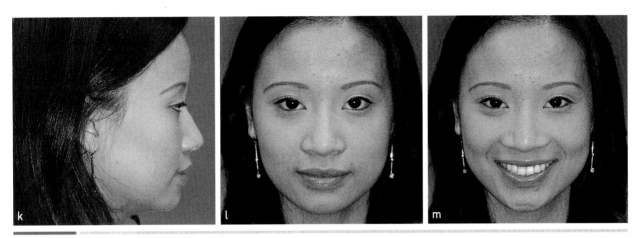

fig. 3-4 k~m 22개월간의 치료후 최종 안모사진

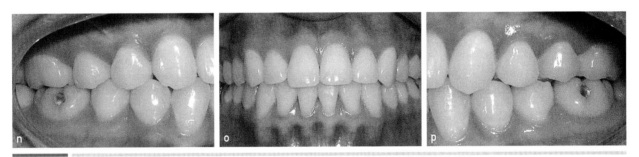

fig. 3-4 n~p 최종 구내사진. 양측 구치관계가 모두 1급이다.

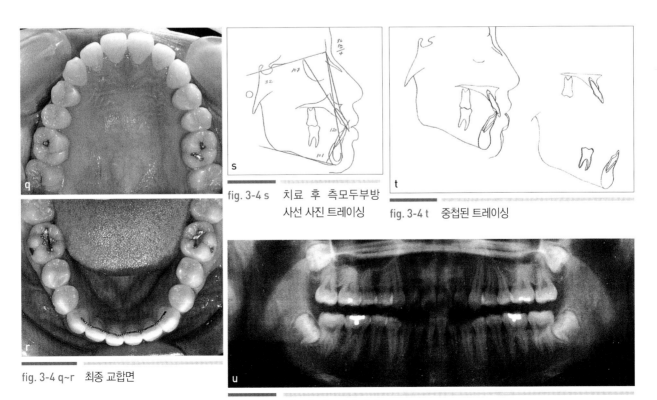

fig. 3-4 q~r 최종 교합면

fig. 3-4 s 치료 후 측모두부방사선 사진 트레이싱

fig. 3-4 t 중첩된 트레이싱

fig. 3-4 u 치료 후 파노라마 사진

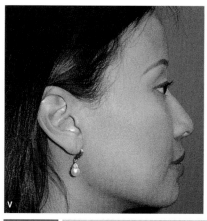
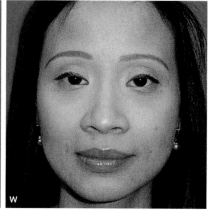

fig. 3-4 v~x 치료 후 9년 뒤 안모사진

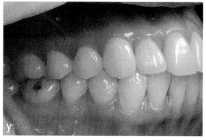
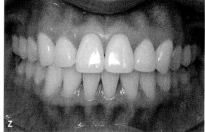
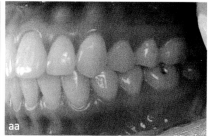

fig. 3-4 y~aa 치료 후 9년 뒤 구내사진

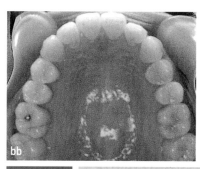
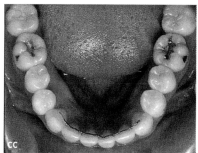

fig. 3-4 bb~cc 치료 후 9년 뒤 교합면

증례 3-3

✚ 개요
14세 7개월의 소녀는 구치 절단교합(end-to-end)과 4mm의 수직피개, 4mm 수평피개를 가지고 있다(그림 3-5a에서 3-5j). 5mm의 악궁길이 부족과 환자의 연령으로 인해 "경계선" 10대 환자로 고려되었다.

✚ 검사 및 진단
1급 골격유형으로, 전치경사는 정상위치에 속했다(그림 3-5i 참조). 상악 구치폭경이 30.9mm로 수술 없이 상악을 확장하는 것이 가능할지 의문이었다.

✚ 치료계획
비발치 치료로 계획하였다. 횡적으로 필요한 공간을 얻기 위해 상악에 RPE, 하악에 립범퍼 사용을 계획하였다(그림 3-5k에서 3-5o).

✚ 평가
RPE를 확장시킨 지 1개월 후, 환자의 정중구개봉합은 양호한 이개를 보였다(그림 3-5p).

✚ 고찰
립범퍼와 호선으로 형성된 확장 이외에도, 하악 치간삭제를 많이 시행하였다(그림 3-5q에서 3-5cc). 최종 결과는 그림. 3-5dd부터 3-5nn에서 나온다. 측모두부방사선 계측치가 허용 범위내에 있어서, 환자의 연조직 측모는 양호하다(그림 3-5ll 에서 3-5mm). 이 환자의 경우 발치 또는 비발치로도 성공적인 결과로 치료되었을 것으로 생각된다.

table 3-5 호선 순서

Archwire	Duration(months)
Maxillary	
0.016 NiTi	4
0.016 SS	2
17 × 25 NiTi	4
17 × 25 SS	12
Active treatment time :	22 months
Mandibular	
17 × 25 CuNiTi	7
16 × 22 SS	4
17 × 25 SS	8
Active treatment time :	19 months

table 3-6 개별 힘

Force	Duration(months)
Rapid palatal expander	7
Lip bumper	6
Elastics	
Class II	1
Finishing	2

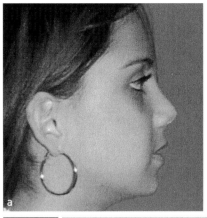

fig. 3-5 a~c 치료 전 안모사진

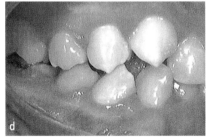
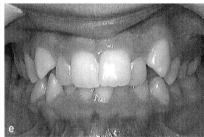
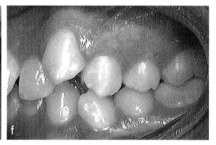

fig. 3-5 d~f 치료 전 구내사진. 구치관계는 절단교합 (end–to–end), 수직피개 4mm, 수평피개 4mm

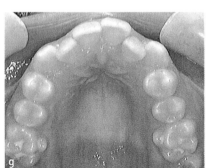
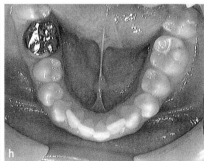

fig. 3-5 g~h 치료 전 교합면

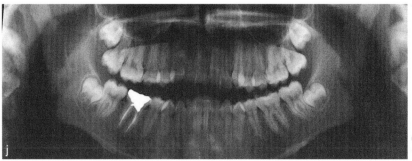

fig. 3-5 i 치료 전 측모두부방사선 사진 트레이싱

fig. 3-5 j 치료 전 파노라마 사진

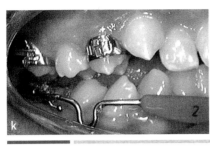
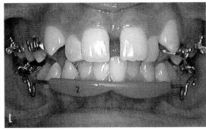
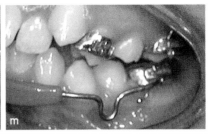

fig. 3-5 k~m 상악 RPE와 하악 립범퍼 적용 1개월 후 구내사진

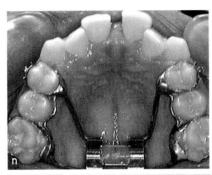
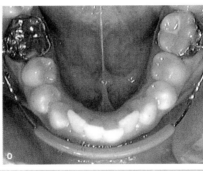
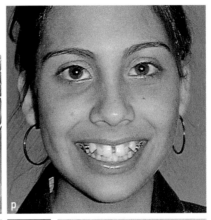

fig. 3-5 n~o 1개월 후 교합면. 상악에서 폐쇄된 확장장치를 볼 수 있고, 하악에 립범퍼가 장착 fig. 3-5 p 1개월 후 안모사진. 상악확장의
되어 있다. 결과로 상악 정중이개가 보인다.

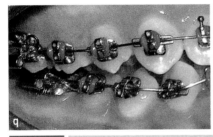
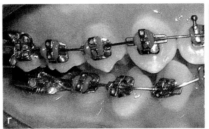
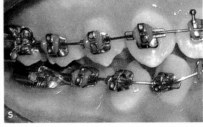

fig. 3-5 q~s 치료 7개월 구내사진. 하악에 교정장치 부착함. 하악에 17 × 25 CuNiTi 호선을 장착한 반면, 상악에는 0.016 SS 호선을 삽입하였다.

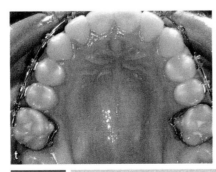
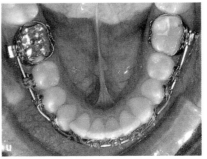

fig. 3-5 t~u 치료 7개월 교합면. 하악 치간삭제에 주목하라.

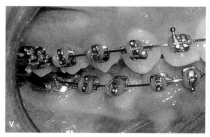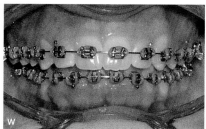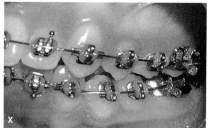

fig. 3-5 v~x 치료 16개월 구내사진

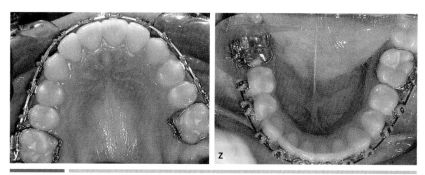

fig. 3-5 y~z 치료 16개월 교합면. 확장된 상하악 악궁

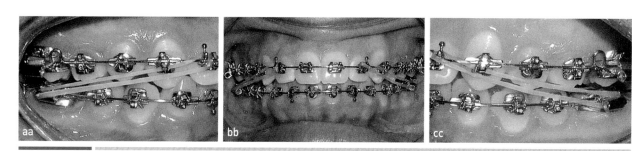

fig. 3-5 aa~cc 치료 20개월 구내사진. 상악 측절치 훅에서 하악 제1대구치까지 2급 고무줄 장착. 상하악 공히 17 × 25 SS 호선을 삽입. 치료 22개월에 상하악 호선을 분절하고, 구치밴드를 제거함.

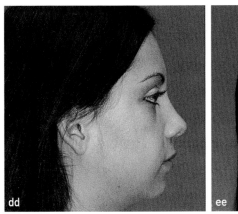

fig. 3-5 dd~ff   24개월 간의 치료 후 최종 안모사진

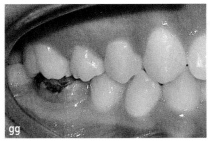
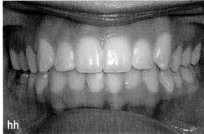
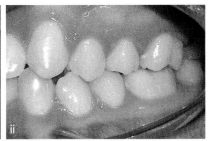

fig. 3-5 gg~ii   1급 구치관계를 보이는 최종 구내사진

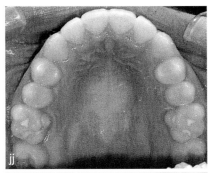

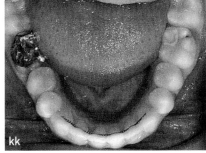
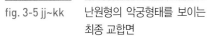

fig. 3-5 jj~kk   난원형의 악궁형태를 보이는
최종 교합면

fig. 3-5 ll   치료후 측모두부방
사선 사진 트레이싱

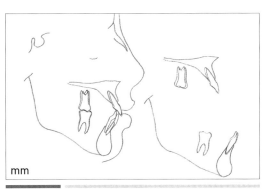

fig. 3-5 mm 중첩된 트레이싱

fig. 3-5 nn   치료 후 파노라마 사진

The Alexander Discipline
Unusual and Difficult Cases

The Alexander Discipline Unusual and Difficult Cases

04 3급 부정교합의 치료
Treatment of Class III Malocclusions

"People forget how fast you did a job, but they remember how well you did it."
사람들은 당신이 그 일을 얼마나 빨리 했는가는 잊어도, 얼마나 잘 했는지는 기억한다.

-Howard W, Newton

　영구적이며 우수한 치료결과를 얻는데 있어서의 난이도 측면에서, 3급 골격유형은 명단의 상위권을 차지한다. RPE나 립범퍼로 비교적 용이하게 영구적으로 치료될 수 있는 폭경의 부족 그리고 헤드기어나 다른 악정형 장치로 영구적으로 교정될 수 있는 대부분의 하악 전후방길이 부족과는 달리, 3급 골격유형은 유전적인 요인과 관련이 있으며 종종 하악 비대칭을 동반한다. 하악 성장을 조절하는 것은 교정학에 있어서 가장 어려운 악정형치료 과제이다. 반면, 상악성장은 조절할 수 있으며, 이는 치료계획 수립에 도움을 준다.

감별진단 Differential Diagnosis

3급 골격유형은 다음 3가지의 성장유형의 결과로 발생할 수 있다.

1. 시상면상의 상악골 부족:
   - 수직적 상악골 부족
   - 수직적 상악골 과잉
2. 하악골 과잉
3. 위 두 가지의 조합

미국에서는, 인구의 3%가 3급의 골격유형을 가지고 있고, 이들의 63%가 시상면상에서 상악골 부족을 보인다. 이 증례들 중 다수에서 수직면에서 상악골의 비정상적인 특징도 보인다. 따라서 많은 3급 환자들이 수직적 상악골 부족(수평적 골격유형의 환자)으로 진단된다. 반대의 경우 또한 존재한다: 수직적 상악골 과잉(수직적 골격유형의 환자). 수직적 상악골 과잉을 가진 3급 골격유형은 교정적으로 치료하기에 가장 어려운 부정교합이다.

성장기 3급 환자의 치료계획을 세우는데 있어서 수직적 부족 또는 과잉에 대해 주의깊은 분석을 수행해야 상악에 적절한 방향의 힘을 적용할 수 있게 된다. 유전요인 또한 반드시 고려되어야 한다. 3급 유형과 관련된 가족력은 최종 치료계획을 결정하는 데 도움을 준다.

저자의 의견으로는 하악골 성장은 악정형적으로 조절될 수 없다. 잘해야 친컵이나 페이스마스크 사용으로 적은 양의 하악골 성장이 억제되기도 한다. 3급 부정교합의 치료에서 가장 성공적인 비수술적인 접근법은 상악골을 시상면 혹은 수직적으로 전방이동시키는 것이다.

가성 3급 부정교합

가성 3급과 진성 3급 골격유형을 반드시 구분해야 한다. 측모두부방사선사진상에서 ANB, NAPo(angle of convexity) 그리고 Wits 분석은 하악에 대한 상악의 골격 관계를 보여준다. 그러나 몇몇 증례에서는 원인이 되는 악골을 결정하기 어렵다. 때로는 코와 턱의 관계를 보여주는 연조직 측모의 평가가 임상가가 판단을 내리는 데 도움을 준다. 임상적으로 환자가 중심위 교합관계로 폐구하도록 유도하는 것이 중요한 검사법이다. 종종 전치부 반대교합은 하악이 전방으로 미끄러지면서 중심교합 관계로 되기 때문에 발생한다. 전치가 "절단교합"으로 접촉하도록 하악을 유도할 수 있다면 이 증례는 진성 3급이 아니라 가성 3급 유형일 가능성이 높다. 이러한 증례들은 보통 비수술적인 방법으로 치료한다.

치료 시기 Treatment Timing

대부분의 경우에서 3급 환자의 치료를 시작하는 가장 적절한 시기는 이를 처음 발견했을 때이다. 성공적인 치료는 환자의 성숙도에 의존하는데 이는 인상을 채득하고 지시대로 장치를 착용하려는 의지를 가졌는가이다. 성숙도 외에도 환자는 장치를 장착할 영구치가 충분히 맹출되어 있어야 한다. 부정교합이 조기에 교정될수록, 환자가 정상적으로 성장할 수 있는 가능성이 높아진다(저자가 치료한 가장 어린 3급 환자는 2세였다). 환자가 5세에 내원하면 16~18세까지 치료가 지속될 가능성이 높다. 양호한 성장을 보이고 협조적인 환자라면, 거의 모든 증례에서 성공적인 교정치료 결과를 얻을 수 있다. 수술이 필요한 경우도 분명히 있지만, 대부분의 경우에서 비수술 치료를 시도해볼 수 있다. 그러나 골격유형을 비수술적으로 조절하거나 변화시키기 위해서 환자는 성장 잠재력을 가지고 있어야만 한다. 특이하게도 3급의 하악골은 정상적인 성장이 종료된 후에도 계속 성장하기도 한다.

3급 부정교합의 치료시기에 관한 미출간된 연구에서, Suess Kassisieh는 52명의 환자를 대상으로 상악골 전방견인 치료에 대한 골격적인 반응을 평가하였다. 환자들을 3개의 연령 그룹으로 분류하고 – 7.5세 이하, 7.5~9.5세 사이, 9.5세 이상 – 대조군과 비교하였다. 전방견인 그룹에서 1.5~2.0mm의 상악골 전방이동을 보인 반면, 대조군에서는 변화가 없었다. 상악 또는 하악의 수평 이동을 위한 전방견인 치료에 있어서 연령에 따른 차이는 유의성이 없었다. 수직 이동에 있어서는 유의미한 차이를 보였는데, 가장 어린 그룹에서 가장 큰 상악골 하방이동과 이에 따른 하악 후하방 회전을 보였다.

이러한 결과에 의하면, 치료 시작이 빠를수록 페이스마스크에 대한 반응이 더 좋다는 것은 분명하다. 그러나 3급 성장유형은 예측하기 매우 어렵다. 종종 유치열의 전치부 반대교합이 영구 전치가 맹출하면서 저절로 해소되기도 한다. Box 4-1에서 조기 치료의 장단점을 설명한다.

환자 교육

3급 환자에서 치료를 시작할 때 환자와 보호자의 교육에 많은 시간을 들여야 한다. 3급의 성장 유형은 예측하기 매우 어렵다. 일단 치료가 시작되면 관련된 모든 이들이 환자의 성장이 종료될 때까지 지속적인 치료와 관찰이 필요함을 이해하는 것이 필수적이다; 성장이 종료된 후에, 수술이 필요할 수도 있다.

사춘기 환자의 치료

3급 환자가 성장기 또는 성장이 끝날 무렵이면 예측하기 힘든 잠재적인 성장가능성으로 인해 비수술적 치료의 성공을 확신할 수 없음을 반드시 설명해야 한다. 환자가 치료초기 12개월 동안 페이

Box 4-1   조기 치료의 장점과 단점

장점

- 바람직한 악정형적인 치료결과로 상악골은 전방이동된다.
- 미래에 잠재적인 성장의 개선을 허용한다(상악골을 풀어준다).
- 좋은 환자 협조도
- 심미적인 개선
- 기능 발달을 개선한다.
- 수술 가능성을 낮춘다.

한계점

- 하악 성장조절의 어려움으로 인한 일관성 없는 결과

단점

- 장기적인 치료가 요구된다.
- 잠재적인 하악골 성장 가능성
- 수술이 필요할 수 있다.
- 수술전 치열의 재배열이 필요하다.
- 치아탈회, 치은퇴축, 치근흡수의 가능성

스마스크 착용에 최선을 다하도록 격려해야 한다. 상악골이 치료에 반응하지 않는다면 수술이나 발치가 유일한 대안이 되기도 한다.

악정형적 장치 Orthopedic Appliances

성장기 3급 환자에서, 환자를 비수술적인 방법으로 치료하기 위해 모든 노력을 기울여야 한다. 3급 환자 치료에 이용할 수 있는 몇가지 악정형 장치들이 있다.

친컵

친컵은 저자가 3급 환자에게 사용한 첫번째 악정형 장치였다. 이러한 치료의 성공이 매우 제한적이라는 것을 세월과 경험을 통해 알게 되었다. 친컵은 하악골 성장을 억제하지 않는다. 오늘날 친컵은 2단계에 걸친 치료 중 유지단계 또는 본교정 후 치열의 교합보존을 위한 유지기에 사용된다. 이 장치로 수직적 치아치조 성장을 억제하고 전치부 수직피개의 유지를 기대하는 것이다.

3급 악간 고무줄

최종 호선 상에서 강한 3급 고무줄의 지속적인 사용으로 제한적인 결과를 얻는다. 이 고무줄은 상악 제1대구치 또는 제2대구치에서부터 하악 측절치 볼훅에 걸어 더 수평적인 힘의 벡터로 작용한다. 환자가 성장기에 있으면, 문제 해결을 위해 치아치조 이동뿐 아니라 제한적인 골격적 변화를 얻게 된다. 사용되는 고무의 힘은 약 300~500g이다.

페이스마스크

대부분의 성장기 3급 환자를 위해 선택하는 악정형 장치는 페이스마스크이다. 상악골 전방견인 장치라고도 불리는 페이스마스크는 부작용의 발생 가능성은 적고 좋은 치료결과를 가져오는 교정력을 제공한다(헤드기어와 유사함). 한쪽 힘은 상악골을 전방으로 당기고, 반대 방향의 힘은 하악골과 이마를 누른다. 3급 치료역학에서는 거의 대부분의 경우 페이스마스크를 사용한다.

저자는 2가지 형태의 페이스마스크를 수년간 사용해왔는데, 두가지 모두 매우 효과적이었다. 원래의 페이스마스크를 수년간 사용해왔다. 입술 앞에 위치하는 페이스 바가 고무줄 힘의 방향을 조절하도록 돕는다. Delair 타입의 페이스마스크가 요즘 사용하는 종류이다. 이것은 환자가 착용하기 훨씬 편하며, 조절이 가능하다. 환자가 말하거나 입을 벌릴 때 친컵의 패드가 고무의 힘 방향에 영향을 주지 않고 잘 미끄러져 올라가고 내려가게 된다.

페이스마스크의 효과적인 사용을 위해 적용되는 힘의 5가지 요소를 고려해야 한다:

1. 교정력의 적용점

페이스마스크의 힘이 상악의 어느 부위에 적용될지를 결정하는 것이 중요하다. 대부분의 경우에서, 힘은 상악골의 전방부, 대개 상악 측절치 브라켓의 볼훅에 적용된다. 만약 구치에 부착되면 부작용으로 구치 정출이 발생하여 하악이 후하방으로 회전한다. 치료계획이 구치 정출을 필요로 한다면, 소구치부에 부착부가 위치될 수 있다. 알렉산더 원리에서는, 악정형적 변화와 치아치조골의 변화를 얻기 위해서, 페이스마스크에서 나오는 고무의 힘은 악궁전체를 연결하여 타이백을 한 호선에 연결되어야 한다.

2. 힘의 방향

성장기 3급 환자에서, 페이스마스크로 상악골을 전방으로 2~3mm 이동시킬 수 있다. 또 치아치조복합체를 수직적으로 하방이동시킬 수 있다. 치료 목표에 따라 고무 힘의 방향이 결정된다.

수직적 상악골 부족 증례에서, 측모두부방사선사진상 골격유형은 수평적이다. 또, 미소 시 환자의 임상 치관이 충분히 노출되지 않는다. 따라서, 치료 계획은 상악골을 전하방으로 이동시키는 것이다. 이를 위해서 교합면에 대해 30~45° 경사지게 고무줄을 적용해야 한다.

수직적 상악골 과잉(수직적 골격유형과 미소 시 과다한 치은 노출)의 증례에서, 상악을 하방으로 이동시키지 않도록 각별히 주의해야 한다. 이때 고무줄은 교합면에 최대한 평행하게 적용한다.

3. 힘의 크기

상악에서 페이스마스크의 힘은 고무줄의 크기와 페이스마스크의 부착부에서 볼훅 사이의 거리에 의해 결정된다. 저자는 Dr. Juan Morales에 의해 고안된 페이스마스크를 사용하는데, 이는 환자가 매우 편하고 조절하기도 쉽다.

일반적으로 고무줄은 페이스마스크의 수평 조절바와 상악 측절치의 볼훅에 건다(고무줄이 볼훅에 걸릴 때 필요한 악정형적인 효과를 얻기 위해 호선을 타이백하는 것이 필수적임을 기억하라).

환자의 편안함을 위해 초기 고무줄의 힘은 약하게 하고, 3개월 동안 점진적으로 힘을 증가시켜 상악에 영향을 주는데 필요한 악정형력을 힘을 가하도록 한다. 일반적인 처방은 다음과 같다:

1. 초기 고무줄: 0.25(1/4)인치, 3.5온즈(Bald Eagle, American Orthodontics), 편측에 약 180g의 힘을 제공
2. 중간단계 고무줄 (4주 후): 0.25(1/4)인치, 6온즈(Sea Lion, American Orthodontics), 약 300g의 힘을 제공
3. 최종 고무줄 (4주 후): 0.1875(3/16)인치, 6온즈(Tortoise, American Orthodontics), 약 500g의 힘을 제공

페이스마스크는 2개의 고무줄이 사용되기 때문에 실제 힘은 2배가 된다. 고무줄이 걸리는 실제 거리에 따라 힘이 달라지기 때문에 개별적인 힘은 각 환자에 따라 조금씩 다르다.

4. 페이스마스크 착용 시간

페이스마스크의 치료역학은 헤드기어와 다르게 작용한다. 헤드기어는 엄밀하게 악정형 장치로서 작용한다. 반면 페이스마스크는 악정형적으로 그리고 치아치조적으로 작용한다. 상악골을 전방으로 이동시키는 것뿐만 아니라, 치아도 전방으로 또 수직적으로 이동시킨다. 이러한 치아치조 이동 때문에 페이스마스크를 매일 오래 장착할수록 더 효과적인 결과를 얻는다. 따라서 환자가 하루에 적어도 12~14시간 이상 착용하도록 한다.

5. 치료 기간

과치료를 시도하고 최소 5mm의 수평피개를 얻기 위해서 페이스마스크를 하루 12~14시간씩 최소 6개월 동안 착용해야 한다. 그 이후에는 하루 8시간 1개월 동안 착용하고, 그 다음은 한달간 이틀에 한 번 밤에 착용한다. 그런 다음 장치 착용을 종료하고, 잠자리에 들기전 밤마다 수평피개를 관찰한다. 만약 약간의 재발경향이 보이면 환자는 다시 장치를 착용하기 시작해야 한다.

페이스마스크 치료 결과로 상악에서 전방과 수직적 골격 변화를 얻을 수 있지만, 치아의 경사이동과 치체이동 또한 발생한다. 하악에서 과도한 성장이 지속되면, 외과적 하악 절제가 필요할 수 있다. 이 경우 교정치료 역방향의 치료가 필요하고, 수술전에 3급 교합을 심화시키는 것으로 진행된다.

급속구개확장장치

급속구개확장장치를 페이스마스크와 같이 사용하면 상악을 확장하는 동안 정중구개봉합을 느슨하게 하고 교합을 풀어줌으로써 치료효과를 높인다고 일반적으로 알려져 있다. 부작용으로는 상악 구치의 설측 교두의 조기 접촉으로 개방교합이 발생하고, 이로 인해 하악이 후하방으로 회전한다. 이러한 효과는 일시적인 것이고, 영구적인 골격변화는 아니다.

그러나, 정상 폭경을 가지며, 총생은 없고, 구치간 폭경이 35mm 또는 그 이상인 환자에서 RPE를 적용하기는 어렵다. 따라서 저자는 경계선 증례나 좁은 상악 폭경을 가진 환자에서 필요한 경우 RPE를 사용한다; 그렇지 않다면, 페이스마스크 단독 사용으로 대개 문제를 해결할 수 있다.

성인 환자에서의 대체 치료법 Alternative Treatment for Nongrowing Patients

전치부 반대교합(가성 3급)이나 경도의 3급 골격유형을 가진 환자들에서 때때로 발치 치료를 시행할 수 있다. 결과가 완벽하지 않더라도 보상적 치아이동으로 수용가능한 기능교합을 얻는다.

하악 전치의 발치

몇몇 증례에서, 전치부 반대교합을 한 개의 하악 전치를 발치하여 해소할 수 있다. 이런 비대칭적 발치는 상악 측절치가 정상보다 작고 구치 관계가 3급 경향의 1급 관계일 때 최고의 효과를 발휘한다. 추가적인 상악전치부 치간법랑질 삭제는 악궁길이 부조화 상태의 균형을 맞추는데 도움을 준다.

치성 보상

상하악궁 둘다 심한 공간부족이 있다면 가능한 해결법은 상악 제2소구치와 하악 제1소구치를 발치하는 것이다. 공간을 폐쇄하는 동안 3급 고무줄의 충분한 사용은 하악 전치가 설측으로 경사이동하는 동안 상악 대구치를 근심으로 이동시킨다. 이러한 치성 보상으로 타협적이지만, 수용가능한 교합을 얻을 수 있다. 환자들은 이러한 대체 치료가 불리한 잇몸건강 뿐만 아니라 외상성 교합을 야기할 수 있음을 알아야 한다.

하악 소구치 발치

상악이 하악에 비해 총생이 심하지 않다면 하악 제 1소구치만 발치하는 것이 적절한 결정일 수 있다. 3급 고무는 하악 전치를 설측으로 경사이동시키며, 상악 전치의 전방경사도 생길 수 있다. 최종 교합은 1급의 견치관계를 얻고, 3급의 구치관계는 유지하게 된다. 이러한 교합관계에서 우려되는 점은, 하악 사랑니가 없다면 상악 제2대구치에서 교합접촉이 없어질 수 있다는 것이다. 이 경우 상악 제2대구치의 근심교두가 하악 제2대구치의 원심교두과 교합하게 하여 상악 제2대구치가 정출되지 않도록 해야 한다. 치료 후, 상악 유지장치의 호선에 제2대구치 부위 교합면 레스트를 얹어 정출을 방지한다.

골격적 3급 유형의 수술적인 치료 Surgical Treatment of the Skeletal Class III Pattern

진성 3급 골격유형의 성인 환자에서 최선의 치료는 악교정수술을 동반한 교정치료이다. 교정의사의 입장에서 외과의사의 지식과 능력은 매우 중요하다. 환자, 외과의, 그리고 교정의 간의 소통 역시 매우 중요하다.

교정의와 외과의가 치료 계획에 대해 합의한 후, 환자는 대수술과 관련하여 시간과 난이도에 관해 완벽하게 교육되야 한다. 보험과 관련된 경우를 포함해서 경제적인 이유로 인해 수술이 지연될 수 있다. 현대적인 기술로 외과의는 양악을 수평적, 수직적, 전후방적으로 재위치시킬 수 있다. 결과는 영구적이고 만족스럽다.

증례 4-1

✚ 개요

8세의 소녀는 혼합치열기로 3급의 골격유형과 상악골 부족을 보였다(그림 4-1a에서 4-1j). 중심 교합에서 전치부 반대교합과 양측성 구치부 반대교합이 있었다. 중심 위에서, 전치부는 절단교합을 보였다.

✚ 검사 및 진단

하악 전치부에 3mm의 공간부족이 있었다. 혼합치열기였기 때문에 조기에 교정적, 악정형적 치료를 적용하여 치아안면부를 교정하고 수술을 피하고자 하였다.

✚ 치료계획

치료는 2단계로 나뉘었다. 1단계는 2가지 과정을 포함한다: 페이스마스크 치료와 급속구개확장장치(그림 4-1k에서 4-1w). 요즘은 이 단계에서 하나의 장치만을 사용한다.
2단계는 RPE를 4주에 걸쳐 매일 한번씩 돌려주고, 그 다음에는 0.25(1/4)인치, 6온즈 고무줄을 페이스마스크와 소구치 밴드에 걸었다.

✚ 평가

1단계에서, 페이스마스크로 전치부 반대교합을, RPE로 구치부 반대교합을 교정했다. 2단계 시작점에서, 환자의 연조직 측모는 매우 함몰된 상태였다(그림 4-1x 참조). 치료의 종료 시점에 와서는, 상당한 개선을 보였다. 치료 동안 2개의 RPE를 사용한 후, 환자의 구치간 폭경은 9mm 확장되었다.

✚ 고찰

1단계 치료에서, 전치부 반대교합이 교정된 후 치은 퇴축이 생겼다. 1년 뒤에 유리치은이식술을 시행하였다. 3년간의 유지기간을 거쳤다. 치료 종료 후 2년 뒤, 환자는 좋은 안정성, 양호한 연조직 측모, 그리고 아름다운 미소를 보였다. 최종 치료 결과는 그림. 4-1bbb에서 4-1lll에 있다. 치료 후 3년 뒤, 환자의 교합과 연조직 측모는 안정적이다(그림 4-1mmm에서 4-1ttt).

table 4-1 호선 순서

Archwire	Duration(months)
Phase II	
Maxillary	
0.016 NiTi	2
0.016 SS (coils)	13
0.0175 multistrand	3
0.016 SS	3
17 × 25 SS	9
Active treatment time :	30 months
Mandibular	
0.016 NiTi	6
0.016 SS	6
17 × 25 multistrand	3
17 × 25 SS	11
Active treatment time :	26 months

table 4-2 개별 힘

Force	Duration(months)
Phase I	
Bonded face mask	6
RPE	6
Phase II	
RPE	7
Face mask to maxillary arch	8
Face mask to mandibular arch	4
Elastics	
Mesiolingual and Class II left	2
Trapezoid buccal	2
Finishing	2

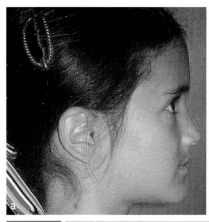
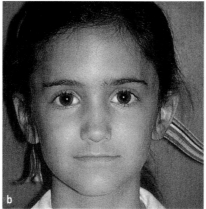
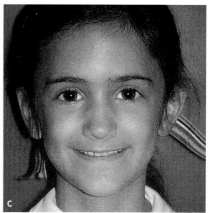

fig. 4-1 a~c 함몰된 연조직 측모를 보이는 치료 전 안모사진.

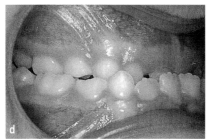
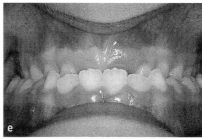
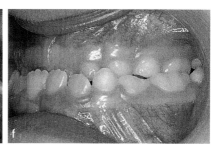

fig. 4-1 d~f 전치부 및 구치부 반대교합, 3급의 구치관계, 그리고 3mm의 하악 공간부족을 보이는 치료 전 구내사진.

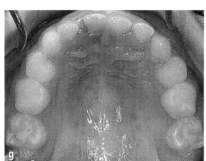
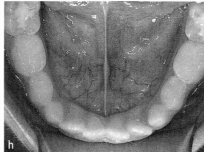

fig. 4-1 g~h 치료 전 교합면

fig. 4-1 i 치료 전 측모두부방사선 사진 트레이싱

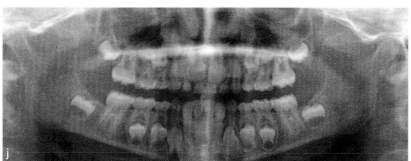

fig. 4-1 j 치료 전 파노라마 사진

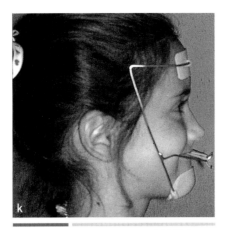

fig. 4-1 k   페이스마스크를 착용한 환자

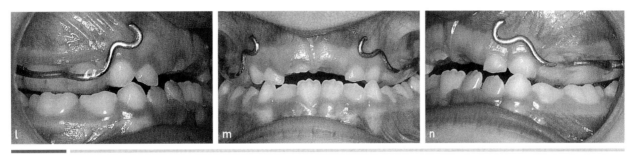

fig. 4-1 l~n   치료 3개월, 페이스마스크 훅이 달린 고정성 구개확장장치

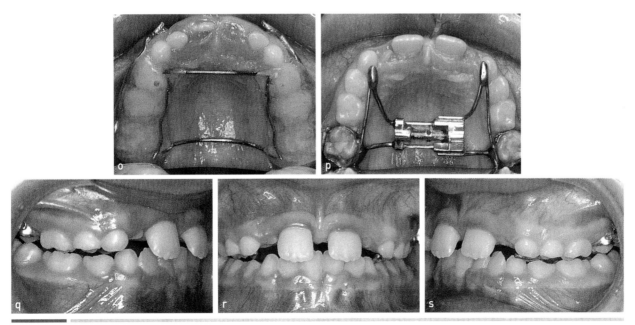

fig. 4-1 o~s   치료 9개월, 31일에 걸쳐 하루에 한 번 RPE를 회전시켰다.

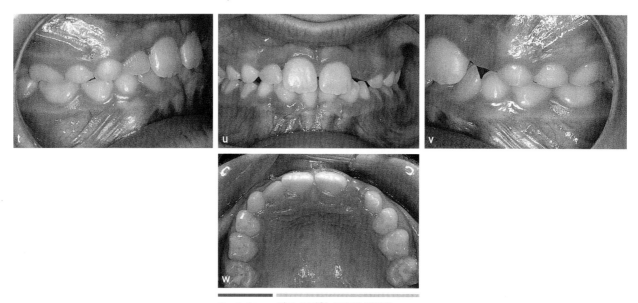

fig. 4-1 t~w 치료 15개월, RPE를 제거함

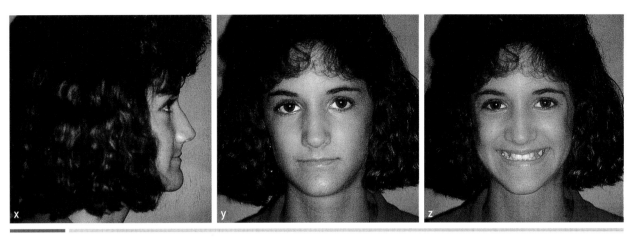

fig. 4-1 x~z 2단계 시작점 (3년 후)에서 안모사진

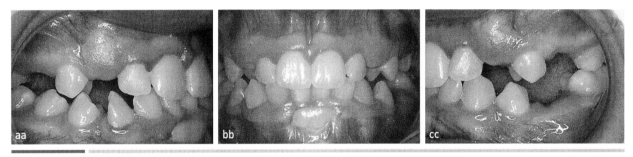

fig. 4-1 aa~cc 하악 전치부에 유리치은이식을 시행한 구내사진

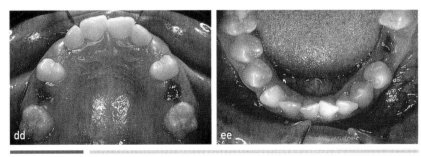

fig. 4-1 dd~ee 2단계 시작점의 교합면

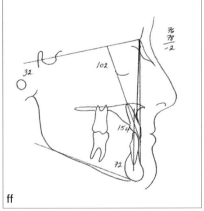

fig. 4-1 ff 2단계 시작점의 측모두부방사선
사진 트레이싱

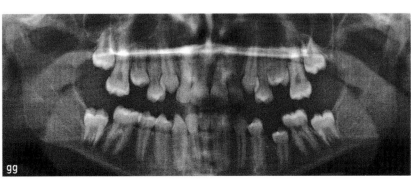

fig. 4-1 gg 2단계 시작점의 파노라마 사진

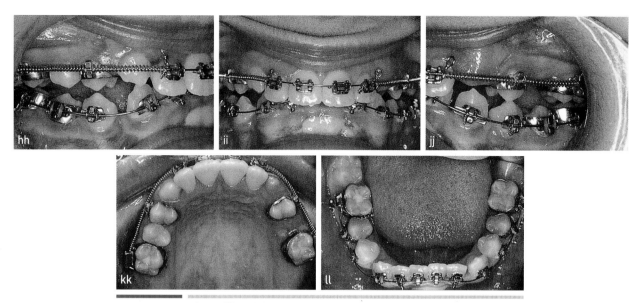

fig. 4-1 hh~ll   치료 9개월 구내사진: 상악 0.016 SS 호선과 하악 0.016 NiTi 호선

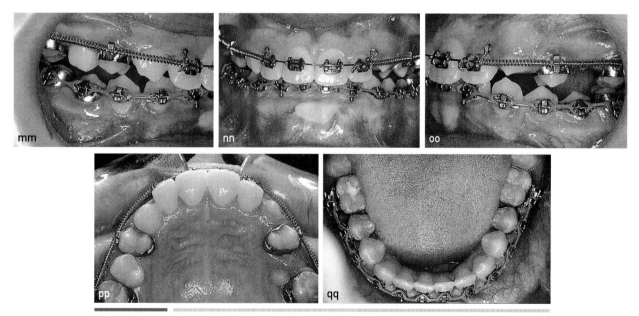

fig. 4-1 mm~qq   치료 14개월 구내사진: 상하악 0.016 SS 호선; 페이스마스크 착용은 중단함

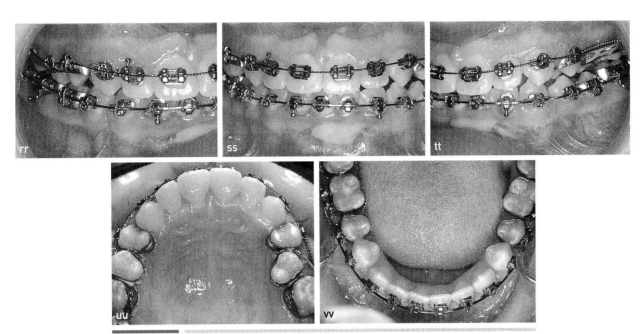

fig. 4-1 rr~vv 치료 21개월 구내사진: 상악 견치와 제2소구치에 브라켓 부착함, 하악 16 × 22 SS 호선

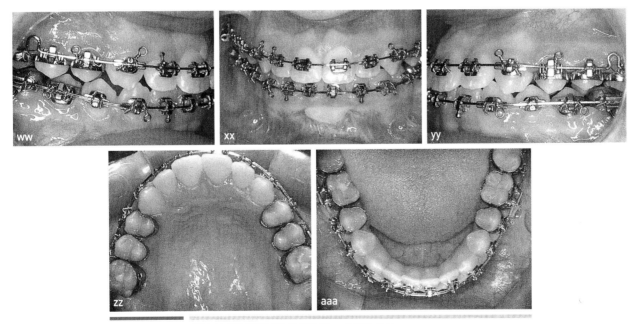

fig. 4-1 ww~aaa 치료 30개월 구내사진: 상하악 17 × 25 SS 호선

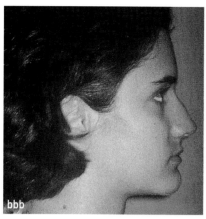
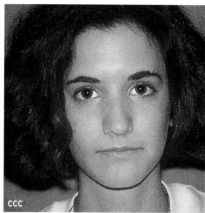

fig. 4-1 bbb~ddd   최종 안모사진

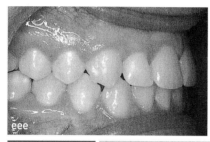
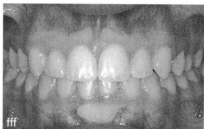
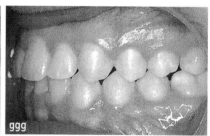

fig. 4-1 eee~ggg   최종 구내사진

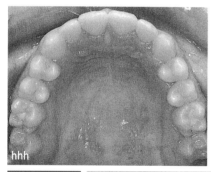
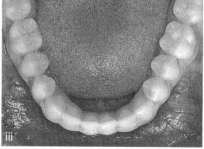
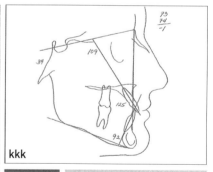

fig. 4-1 hhh~iii   최종 교합면

fig. 4-1 kkk   치료 후 측모두부방사선 사진
트레이싱

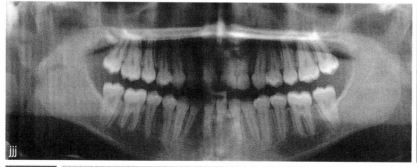

fig. 4-1 jjj   치료 후 파노라마 사진

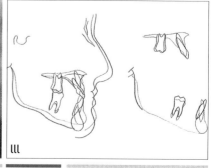

fig. 4-1 lll   중첩된 트레이싱

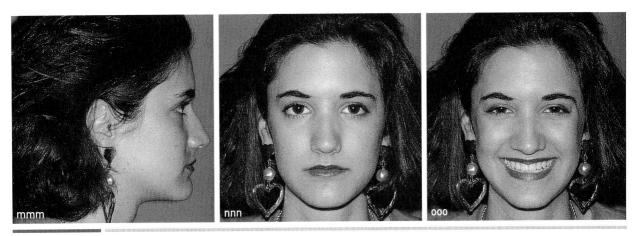

fig. 4-1 mmm~ooo 치료 후 3년 뒤 안모사진

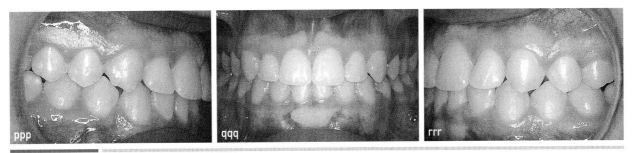

fig. 4-1 ppp~rrr 치료 후 3년 뒤 구내사진

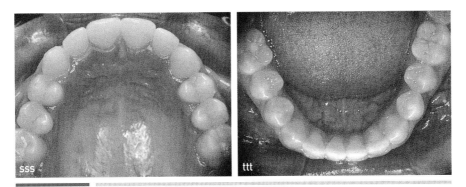

fig. 4-1 sss~ttt 치료 후 3년 뒤 교합면

증례 4-2

✚ 개요
12년 8개월의 환자는 심한 골격성 및 치성 3급 부정교합을 보였다(그림 4–2a에서 4–2j). 환자의 아버지도 전치부 반대교합을 가졌다.

✚ 검사 및 진단
심한 골격성 3급 부정교합일 뿐만 아니라, 심한 전치부 반대교합으로 7mm의 수직피개와 4mm의 수평피개를 보였다. 상하악궁 모두 중등도의 총생이 있었다.

✚ 치료계획
4가지의 선택가능한 치료방법이 있었다: (1) 고정성 RPE와 페이스마스크를 이용한 비발치 치료; (2) 하나의 하악 중절치 발치; (3) 하악 제1소구치 발치; (4) 악교정 수술.
RPE, 페이스마스크, 그리고 3급 고무줄을 이용한 비발치 치료로 진행하기로 결정하였다(그림 4–2k에서 4–2aa). 최종 결과는 그림. 4–2bb에서 4–2ll에 나온다.

✚ 평가
RPE로 상악을 횡적으로 확장시키는 동안 페이스마스크를 착용하였다. 특히 3급 치료에 있어서 바람직한 성장과 환자의 협조도가 성공의 비결이다.

✚ 고찰
치료 후 6년 뒤, 환자는 안정적인 결과를 보인다(그림 4–2mm에서 4–2uu). 하악 견치간 고정성 유지장치를 제거하고 하악 전치의 치간인접면삭제를 시행하였다.

table 4-3 호선 순서

Archwire	Duration(months)
Maxillary	
None	4
0.0175 Twistflex	2
0.016 SS	3
17 × 25 SS	18
Active treatment time :	23 months
Mandibular	
None	11
16 × 22 Tripleflex	3
0.016 SS	2
0.016 NiTi	3
17 × 25 TMA	4
17 × 25 SS	4
Active treatment time :	16 months

table 4-4 개별 힘

Force	Duration(months)
RPE	4
Face mask	16
Elastics	
Mesiolingual and Class II right	1
Anterior box	1
W with a tail	2

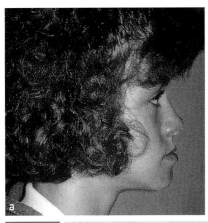
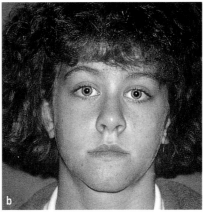

fig. 4-2 a~c 치료 전 안모사진 (나이 12세 8개월).

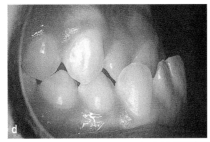
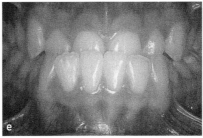
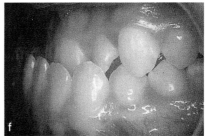

fig. 4-2 d~f 전치부 반대교합, 3급 구치 관계를 보이는 치료 전 구내사진

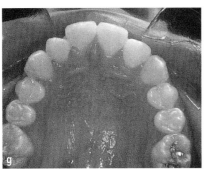
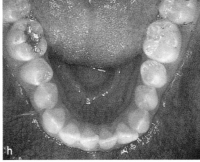
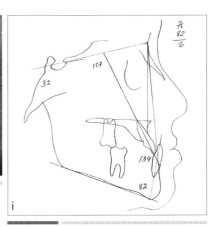

fig. 4-2 g~h 치료 전 교합면

fig. 4-2 i 중안모 부족을 보이는 치료 전
측모두부방사선 사진 트레이싱

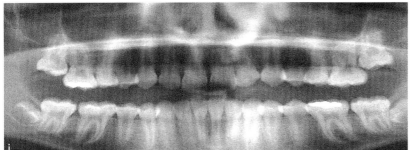

fig. 4-2 j 치료 전 파노라마 사진

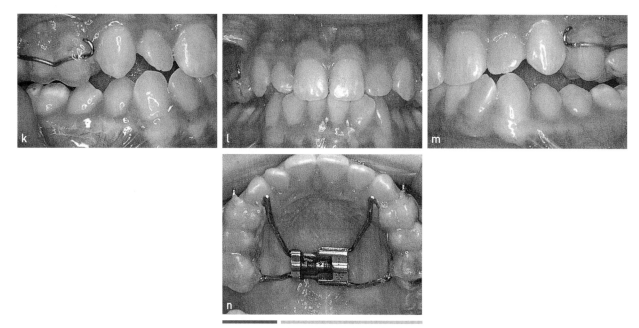

fig. 4-2 k~n 치료 5개월 구내 사진: 페이스
마스크 착용을 위한 고정식 RPE

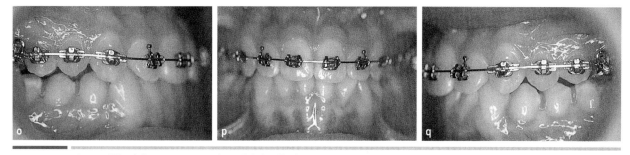

fig. 4-2 o~q 치료 10개월: 상악 17 × 25 SS 호선; 교정장치 부착 전 하악 치간이개고무 삽입함

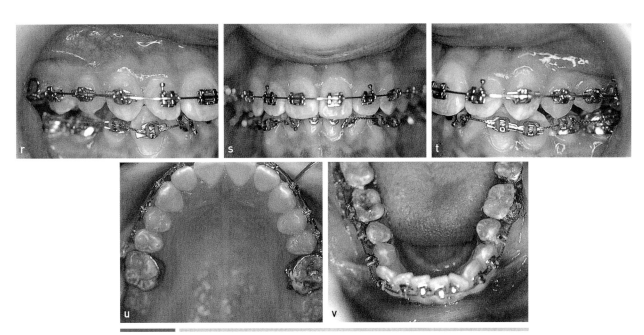

fig. 4-2 r~v   치료 12개월 구내사진: 하악 16 × 22 각형 호선

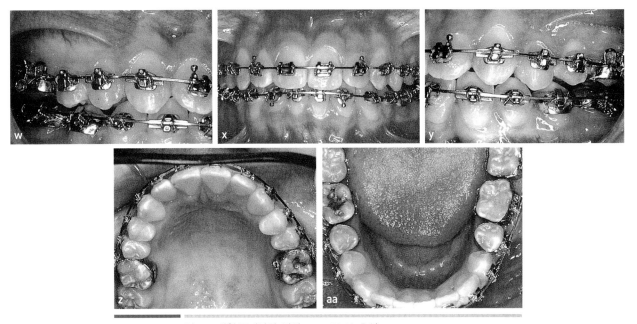

fig. 4-2 w~aa   치료 22개월 구내사진: 하악 17 × 25 SS 호선

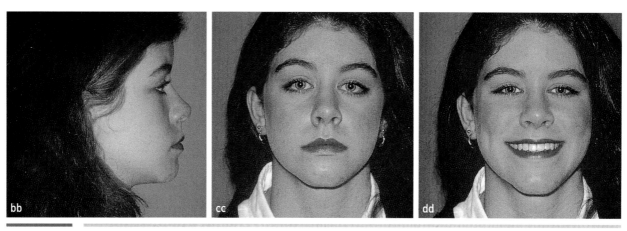

fig. 4-2 bb~dd   27개월 간의 치료 후 최종 안모사진

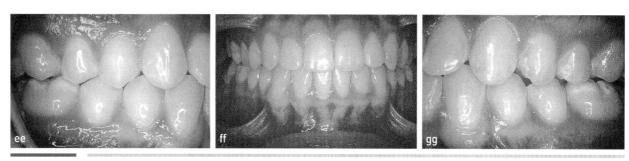

fig. 4-2 ee~gg   최종 구내사진

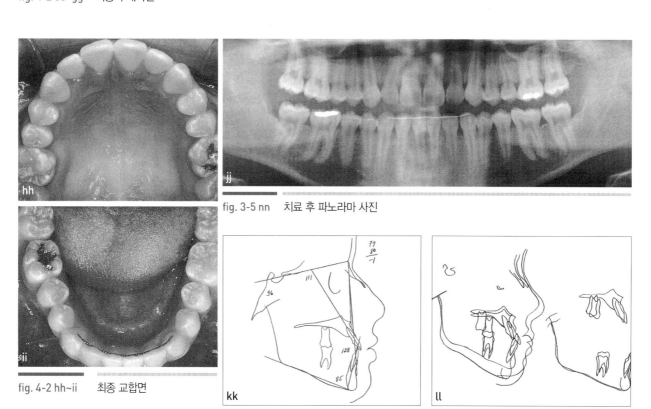

fig. 4-2 hh~ii   최종 교합면

fig. 3-5 nn   치료 후 파노라마 사진

fig. 4-2 kk   치료 후 측모두부방사선 사진 트레이싱

fig. 4-2 ll   중첩된 트레이싱

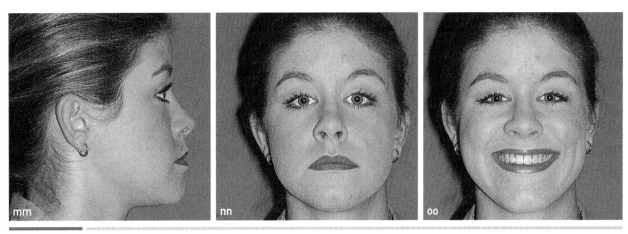

fig. 4-2 mm~oo 치료 후 6년 뒤 안모사진

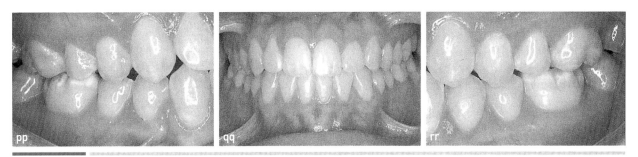

fig. 4-2 pp~rr   치료 후 6년 뒤 구내사진

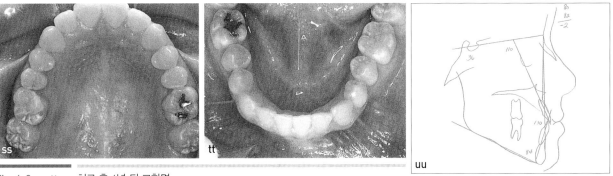

fig. 4-2 ss~tt   치료 후 6년 뒤 교합면

fig. 4-2 uu   치료 후 6년 뒤 측모두부방사선
사진 트레이싱

증례 4-3

✚ 개요

골격성 3급 유형을 가진 28세 여성이 저자의 병원으로 의뢰되었다(그림 4-3a에서 4-3j). 상악 제1소구치들과 하악 제1대구치가 상실된 상태였다(그림 4-3j 참조). 상실된 하악 좌측 제1대구치에 의해 형성된 공간으로 치열의 이동이 진행되어 심한 정중선 불일치가 발생하는 원인이 되었다. 골격적으로, 전후방적인 하악 전돌을 보였다.

✚ 검사 및 진단

하악 치열 정중선이 좌측으로 4mm 가량 변위되어 있다. 견치와 소구치를 포함하여 전치부, 구치부에서 반대교합을 보였다. 심한 하악궁 비대칭이 있어 우측 견치가 좌측 견치보다 4mm 가량 전방에 위치한다.

✚ 치료계획

환자는 교정전 치주검사를 받았다. 치료계획으로 상악 공간의 폐쇄, 하악 우측 제1소구치의 발치 그리고 악교정수술(상악 3-piece, 하악 setback, TMJ 재건술)이 포함되었다.

✚ 평가

총 치료 기간은 25개월이 소요되었다(그림 4-3k에서 4-3jj). 치열과 안면의 정중선이 교정되었고, 1급 견치 관계를 얻었다. 최종 구치 관계는 좌측에서 2급, 우측에서 1급이다. 최종 치료 결과는 그림 4-3kk부터 4-3uu에 나온다.

✚ 고찰

상실치가 있는 심한 골격적 유형으로 인해 이 증례는 독특한 문제점을 보였다. 구강외과의인 Dr. Larry Wolford와 함께 심미적이고 안정적인 결과와 환자의 만족을 얻을 수 있었다. 치료 후 5년 뒤 사진은 그림. 4-3ww부터 4-3ddd에 나온다.

table 4-5 호선 순서

Archwire	Duration(months)
Maxillary	
0.016 NiTi	4
0.016 SS	2
17 × 25 TMA with closing loop	7
0.016 SS	3
17 × 25 TMA	2
17 × 25 SS	7
Active treatment time :	25 months
Mandibular	
None	2
0.016 NiTi	5
0.016 SS	5
16 × 22 TMA with closing loop	4
16 × 22 SS	1
17 × 25 SS	8
Active treatment time :	23 months

table 4-6 개별 힘

Force	Duration(months)
Elastics	
Buccal box Class III	1
Trapezoid buccal	2
Finishing	1

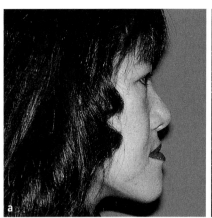
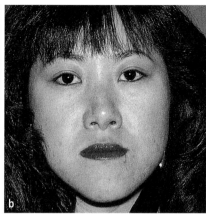

fig. 4-3 a~c 함몰된 측모를 보이는 치료 전 안모사진

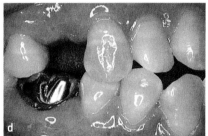
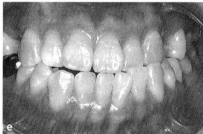
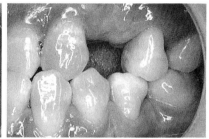

fig. 4-3 d~f 치료 전 구내사진. 1급 구치 관계, 0mm의 수직피개, 0mm의 수평피개, 그리고 좌측으로 변위된 하악 정중선

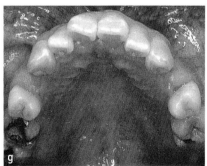
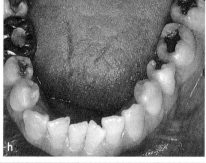
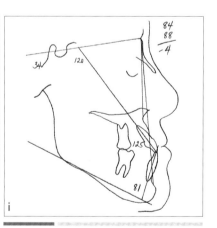

fig. 4-3 g~h 치료 전 교합면

fig. 4-3 i 골격성 3급 유형을 보이는 치료 전 측모두부방사선 사진 트레이싱

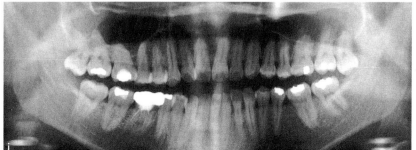

fig. 4-3 j 하악 좌측 제1대구치 상실을 보여주는 치료전 파노라마 사진. 이전 교정의가 보낸 초진 파노라마 사진으로, 상악 제1소구치 발치 전에 채득한 것임

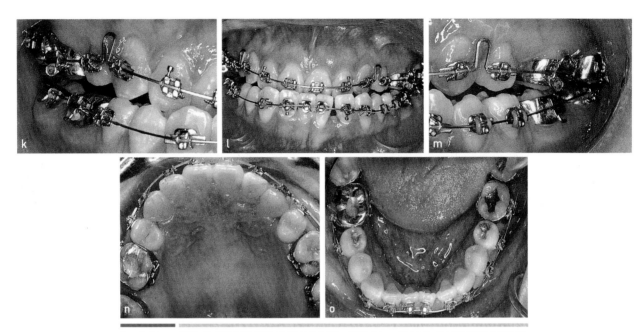

fig. 4-3 k~o 치료 12개월 구내사진: 폐쇄루프가 있는 상악 17 × 25 TMA 호선과 하악 0.016 SS 호선

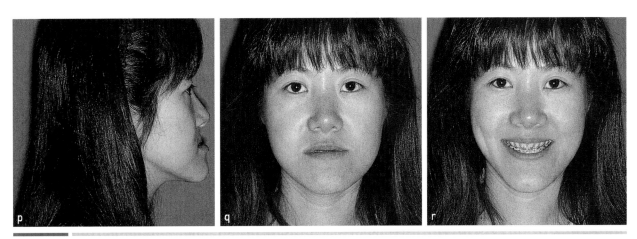

fig. 4-3 p~r 치료 18개월 안모사진, 수술 전

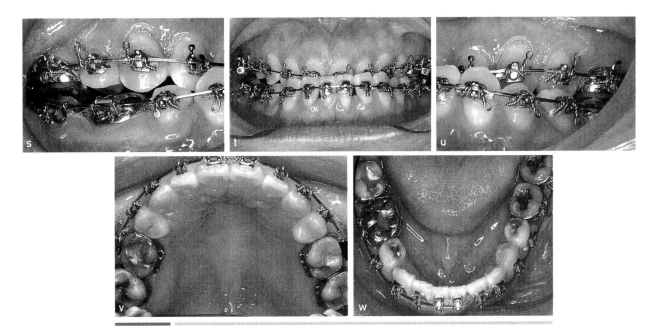

fig. 4-3 s~w 치료 18개월 구내사진 (수술 전): 상하악 17 × 22 SS 호선

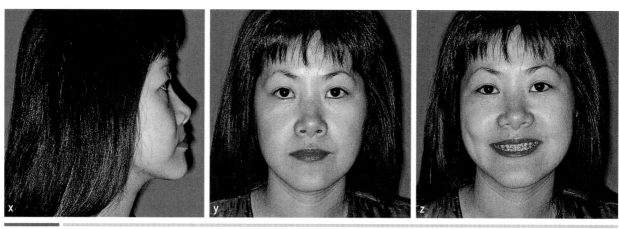

fig. 4-3 x~z 수술 후 2개월 (치료 20개월) 안모사진

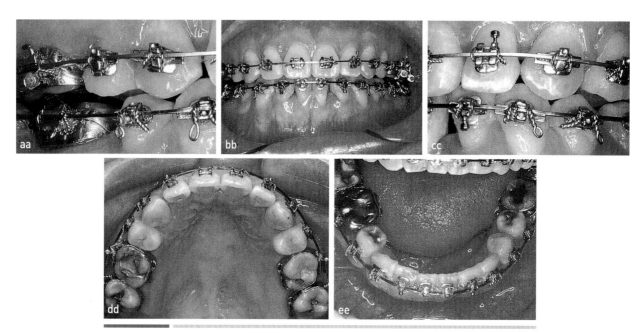

fig. 4-3 aa~ee 수술 후 2개월 구내사진

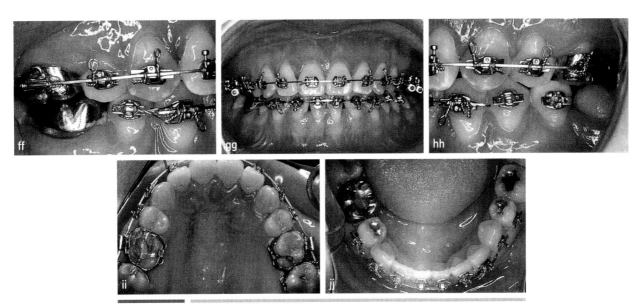

fig. 4-3 ff~jj   치료 24개월 구내사진. 치주인대섬유절단술을 시행하였고, 하악 호선을 분절하고, 마무리 고무줄 사용을 시작하였다.

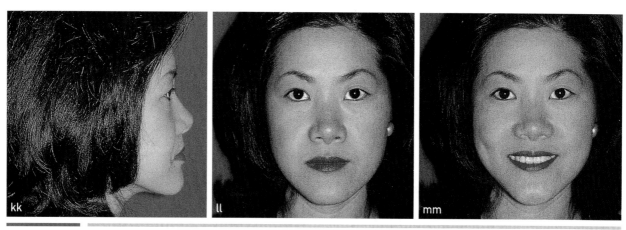

fig. 4-3 kk~mm 25개월 간의 치료 후 최종 안모사진

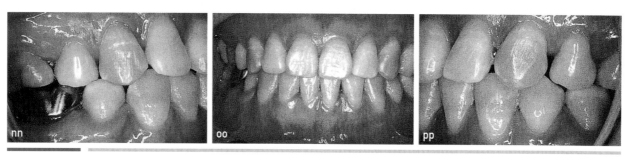

fig. 4-3 nn~pp 최종 구내사진

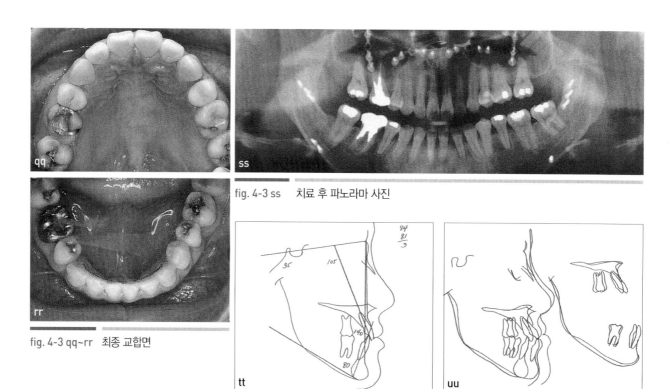

fig. 4-3 qq~rr 최종 교합면

fig. 4-3 ss 치료 후 파노라마 사진

fig. 4-3 tt 치료 후 측모두부방사선 사진 트레이싱

fig. 4-3 uu 중첩된 트레이싱

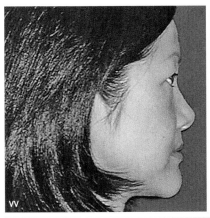
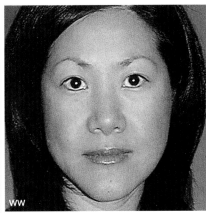

fig. 4-3 vv~xx   치료 후 5년 뒤 안모사진

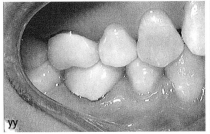
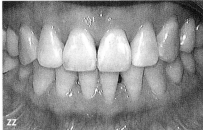
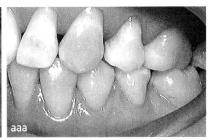

fig. 4-3 yy~aaa   치료 후 5년 뒤 구내사진

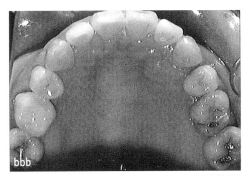
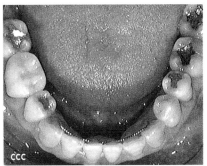

fig. 4-3 bbb~ccc   치료 후 5년 뒤 교합면

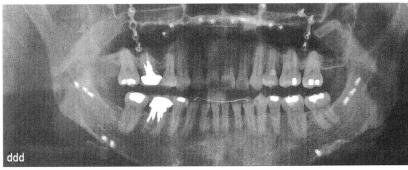

fig. 4-3 ddd   치료 후 5년 뒤 파노라마 사진

The Alexander Discipline

Unusual and Difficult Cases

Chapter 05
조기 치료

The Alexander Discipline
Unusual and Difficult
Cases

05 조기 치료
Early Treatment

"We cannot direct the wind, but we can adjust the sails."
우리는 바람의 방향을 돌릴 수는 없지만, 돛을 조절할 수 있다.

−Dolly Parton

이 주제는 몇가지 이름으로 불린다: 조기 치료, 차단 교정, 그리고 1단계 치료. 조기 치료에 대한 저자의 정의는 영구치열의 맹출이 완성되기 전 환자의 교합과 골격 유형을 조절하는 것이다. 이 조절에는 중요한 치성 혹은 골격성 불균형이나 치료되지 않은 상태로 남았을 때 더 악화될 수 있는 모든 문제들의 교정이 포함된다.

간단한 조기 교정치료는 전치부 반대교합, 구치부 반대교합 또는 전치부 공간 폐쇄의 경우가 그 적응증이다. 반면에 복잡한 조기 교정 치료는 조기 차단으로 개선될 수 있는 좋지 않은 골격 유형을 가진 환자가 적응증이 된다. 이러한 골격 유형은 1급, 2급 또는 3급이 될 수 있다. 수직적 문제는 상악골 과잉과 상악골 부족을 포함한다(환자가 구순구개열 같은 폭경의 문제를 가지는 경우도 있는데, 이 책에서는 다루지 않았다).

장점과 단점 Advantages and Disadvantages

사실 거의 모든 사람들이 치아 맹출 시에는 고르지 않은 치열을 보인다. 시간이 지나면서 전치의 순설측 경사와 근원심 경사가 저절로 개선되는 것을 종종 보게 된다. 그러므로 조기 치료의 적정 시기에 관해 부모나 환자를 의뢰하는 치과의사를 충분히 교육하는 것은 매우 중요하다. 구체적인 문제들과 해결법을 설명하기 위한 목적으로 전문 교육용 소책자들이 나와 있다(OREC 교정용 소책자 등).

장점

조기 치료의 장점은 다음과 같다:
- 전치를 후방으로 이동시켜 외상의 가능성을 줄인다.
- 안모를 개선시킨다.
- 일반적으로 어릴 때 더 좋은 협조도를 얻는다.
- 추후 치료에 대한 필요성을 없앤다.
- 일반적으로 어린 나이에는 뛰어난 성장 잠재력을 가진다.
- 상하악골 관계를 개선시켜 미래에 보다 정상적인 발육을 허용한다.

단점

조기 치료의 단점은 다음과 같다:
- 환자는 이후 추가적인 치료(2단계 치료)가 필요할 수 있다.
- 2단계 치료가 필요한 경우에는 모든 영구치의 맹출 시기까지 기다린 경우보다 전체 치료 기간이 길어진다.
- 2단계 치료를 시행하게 되면 영구치의 맹출 시기까지 기다린 경우보다 전체 치료 비용이 증가한다.

치료 단계 Phases of Treatment

치료 1단계

치료의 1단계에서는 치아의 순설측 경사와 근원심 경사, 상하악골 관계를 개선하기 위해 환자의 교합을 조절한다.

유지관찰 단계

치료 1단계가 끝나면, 환자는 유지관찰 단계로 들어선다. 이 단계에서 우리는 영구치의 맹출을 기다리기만 하면 된다. 치아배열이나 공간을 유지하기 위해서 유지장치(설측 호선 등)가 필요할 수 있다. 이 단계 동안 환자는 6~12개월 간격으로 내원한다. 내원 간격이 길어지므로 환자를 잃기 쉽다. 따라서, 효율적인 리콜 시스템을 갖추는 것은 매우 중요하다.

치료 2단계

2단계 치료의 목적은 영구치열을 완성하고 세밀하게 마무리하는 것이다. 전체 상하악 교정 장치가 필요하고 경우에 따라서 부가적인 악정형장치도 필요하다. 동적인 치료 기간은 12~15개월 가량 소요된다.

이 단계에서 가장 큰 실수 중 하나는 치료를 너무 빨리 시작하는 것이다. 동적 치료는 제2대구치를 포함한 모든 영구치가 맹출될 때까지 연기해야 하고, 특히 수평적 골격 유형의 과개교합 증례에서 그러하다. 여학생이 남학생보다 조기에 성숙하기 때문에, 종종 이들의 치료는 좀더 일찍 시작할 수 있다.

전형적인 2단계 치료 증례 Typical Two Phase Case

2단계 치료의 전형적인 적응증은 경도 총생이 있는 2급 과개교합이다. 하악의 경도 총생을 동반한 골격성 2급 부정교합으로 진단된다. 치료 계획은 2 × 4 호선 사용과 경부 페이스보우(그림 5-1)를 밤마다 8시간 착용하는 것이다. 상악 제1대구치에 밴드 부착, 상악 영구 중절치와 측절치에 브라켓을 부착한다. 호선 순서는 원형 탄성호선(0.016 NiTi)으로 시작하여, 원형 경도호선(0.016 SS), 각형 경도호선(17 × 25 SS)을 사용한다. 상악 측절치의 원심과 상악 제1대구치의 근심 사이에 필요

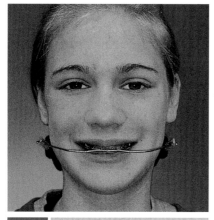

fig. 5-1 경부 페이스보우

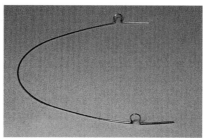

fig. 5-2 상악 제1대구치 근심에 위치한 오메가루프

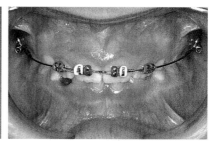

fig. 5-3 오메가루프에 의해 형성된 공간으로, 상악 견치와 소구치가 완전히 맹출하였다.

한 공간을 형성하거나 유지하기 위해 호선에 큰 오메가 루프를 만든다(그림 5-2). 상악 견치와 제1, 2소구치의 최종적인 맹출을 위한 충분한 공간을 형성해야 한다(그림 5-3). 0.016 SS 호선에 스피만곡 또는 역스피만곡을 필요에 따라 부여해서 환자의 과개교합 또는 개방교합을 개선시킨다.

비발치 조기 치료 Nonextraction Early Treatment

조기 치료로 얻을 수 있는 이점 중 하나는 악궁길이 부조화를 유발할 수 있는 하악 유치 조기 상실의 경우 공간을 회복시켜 발치 증례를 비발치 증례로 전환시킨다는 것이다. 유사하게, 립범퍼나 RPE 같은 공간 확보 장치가 적절하게 또 시기에 맞게 사용된다면 발치 증례를 비발치 증례로 치료할 수 있다.

조기 치료의 결과 Results of Early Treatment

조기 치료의 결과는 다음과 같다:
- 페이스보우 사용기간 동안 상악의 전방 성장이 억제된다.
- 1단계 치료에서 상악 전치는 교정적으로 후방 이동된다 (이러한 치아 이동은 유지관찰 단계에서 상당한 재발을 보인다).

- 다른 장치에 비해 경부 페이스보우 사용으로 인한 상악 구치 원심 경사이동은 훨씬 적게 발생한다.
- 하악골의 수평 성장이 치료 1단계와 유지관찰 단계에서 나타난다.
- 이러한 환자들이 가진 골격성 2급 유형은 적절하게 교정되고 유지된다.

증례 5-1

✛ 개요
8세 5개월된 소녀는 혼합치열기에서 심한 2급, 1류 부정교합을 보이고 있다(그림 5-4a에서 5-4j). 하악에 경도의 악궁길이 부조화가 있다.

✛ 검사 및 진단
환자는 매우 큰 상악 전치와 함께 12mm의 수평피개, 4.5mm의 수직피개 그리고 5mm의 악궁길이 부족을 보였다. 골격적으로, 심한 2급, 수평적 골격 유형(그림 5-4i 참조), 높은 코, 그리고 후퇴된 턱을 가지고 있었다.

✛ 치료계획
1단계 조기 치료가 추천되었고, 비발치 치료로 진행하였다: 상악 제1대구치에 밴드를 부착하고, 상악 측절치에서 측절치까지 브라켓을 부착하여 적절한 호선을 사용하였다(그림 5-4k에서 5-4m). 경부 페이스보우를 약 18개월 동안 매일 밤 12시간씩 착용하였다(그림 5-4n).

✛ 평가
1단계 치료 기간은 21개월이었다(그림 5-4o에서 5-4y). 유지관찰 단계는 20개월이었다. 유지관찰 단계 동안 환자가 페이스보우를 1주일에 3~4회 수면 시 착용하도록 했다.

✛ 2단계 치료 계획
전악 교정장치와 경부 페이스보우를 사용하여 비발치 치료를 시행하였고, 2급 악간고무줄 사용으로 교합을 마무리했다(그림 5-4z에서 5-4rr). 치료 후 12년 뒤 치료 결과의 안정성을 그림 5-4ss부터 5-4aaa에서 보여준다.

✛ 고찰
이 환자의 치료 결과는 페이스보우가 상악궁을 원심으로 이동시켜 함몰된 측모를 야기한다는 오해를 불식시킨다. 경부 페이스보우가 효과적으로 작용하는 것을 보여주는 좋은 예이다. 페이스보우는 상악의 위치를 유지하고(전방 이동을 방지하고) 하악골의 잠재적인 전방 성장이 나타나게 하여 균형잡힌 1급 골격 유형을 만든다. 또 하악 전치가 조절되는 것에 주목하라.

table 5-1 호선 순서

Archwire	Duration(months)
Phase I	
Maxillary	
0.014 SS	3
0.016 SS	5
17 × 25 SS	6
Active treatment time :	14 months
Phase II	
Maxillary	
0.0175 multistrand	3
0.016 SS	2
17 × 25 SS	15
Active treatment time :	20 months
Mandibular	
None	5
16 × 22 multistrand	2
17 × 25 multistrand	4
17 × 25 SS	9
Active treatment time :	15 months

table 5-2 개별 힘

Force	Duration(months)
Phase I	
Cervical facebow	20
Phase II	
Cervical facebow	19
Power chain	4
Elastics	
Class II	4
Finishing	2

table 5-3 협조도 평가

Phase I

Broken appointments	3
Extra appointments	3
Canceled appointments	1
Broken band/bracket	2
Broken facebow	2
Tooth-brushing	1
Instructions given	

Phase II

Broken appointments	5
Extra appointments	5
Broken band/bracket	4
Tooth-brushing	3
Instructions given	

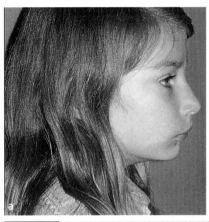 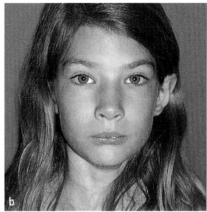 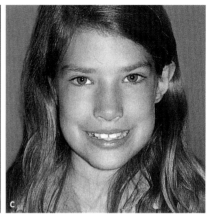

fig. 5-4 a~c 치료 전 안모사진, 볼록한 측모를 보인다 (나이 8세 5개월)

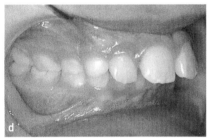 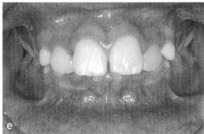 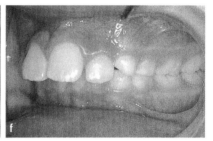

fig. 5-4 d~f 치료 전 구내사진. 구치 관계는 2급이고, 12mm의 심한 수평피개와 4.5mm의 수직피개를 보인다.

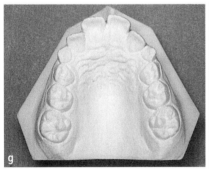 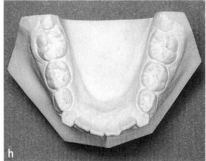 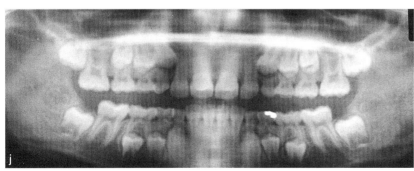

fig. 5-4 g~h 치료 전 교합면

fig. 5-4 i 치료 전 측모두부방사선 사진 트레이싱. 작은 하악각의 골격성 2급 성장 유형을 보인다.

fig. 5-4 j 치료 전 파노라마 사진

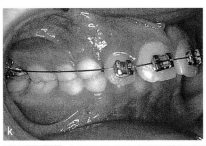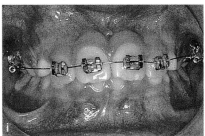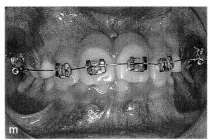

fig. 5-4 k~m 치료 2주: 0.014 SS 상악 호선

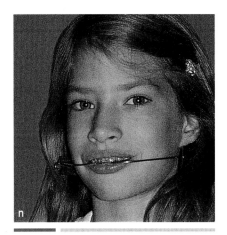

fig. 5-4 n 경부 페이스보우를 착용한 환자.
야간에 10~12시간 착용하였다.

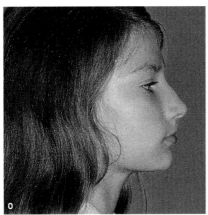
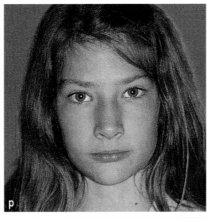
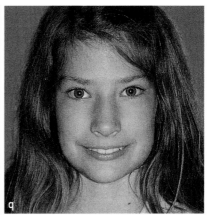

fig. 5-4 o~q 1단계 치료 종료 시 최종 안모사진. 치료 기간은 14개월이 걸렸다.

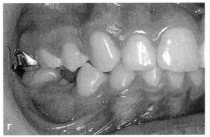
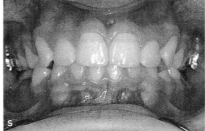
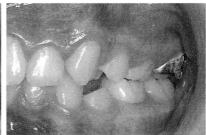

fig. 5-4 r~t 1급 구치 관계를 보이는 최종 구내사진

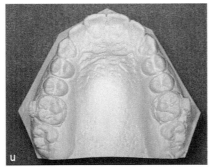
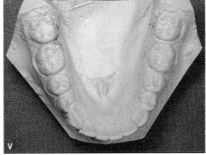

fig. 5-4 u~v 최종 교합면

fig. 5-4 x 1단계 치료 종료 시 측모두부방사선
사진 트레이싱

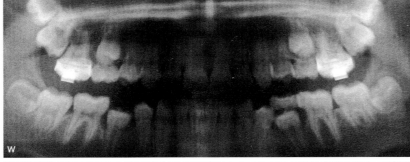

fig. 5-4 w 1단계 치료 종료 시 파노라마 사진

fig. 5-4 y 중첩된 트레이싱

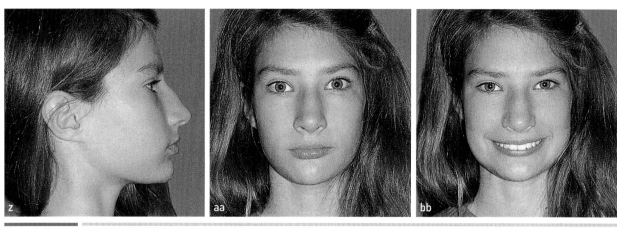

fig. 5-4 z~bb   2단계 치료 시작 시 안모사진 (나이 11세 11개월)

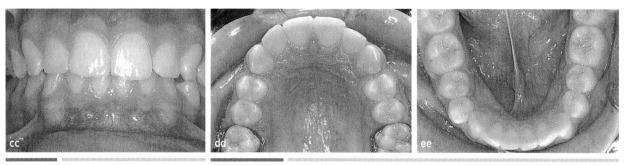

fig. 5-4 cc   2단계 치료 시작 시 구내 정면사진   fig. 5-4 dd~ee   2단계 치료 시작 시 교합면. 하악에 2mm의 악궁길이 부조화가 있다.

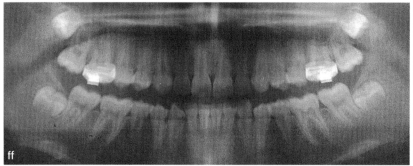

fig. 5-4 ff   2단계 치료 시작 시 파노라마 사진

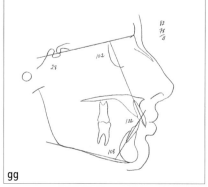

fig. 5-4 gg   2단계 치료 시작 시 측모두부방사선 사진 트레이싱

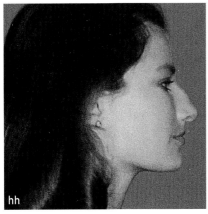
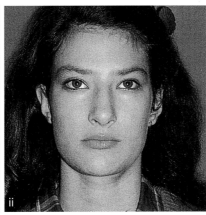

fig. 5-4 hh~jj   20개월 간의 치료 후 최종 안모사진

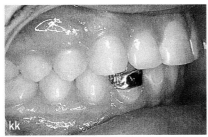
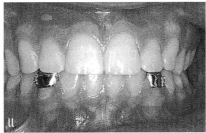
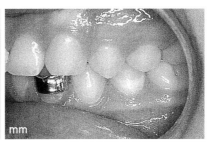

fig. 5-4 kk~mm   최종 구내사진. 수직피개 2mm, 수평피개 2mm, 그리고 1급 구치관계

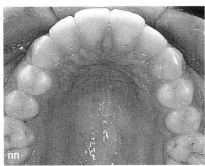
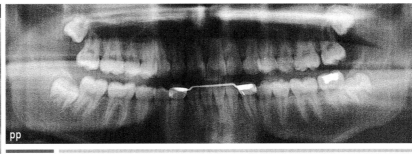

fig. 5-4 pp   치료 후 파노라마 사진

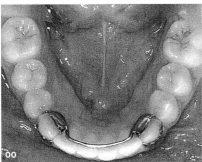

fig. 5-4 nn~oo   최종 교합면

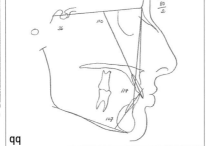
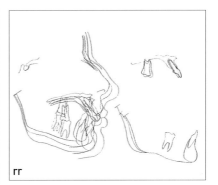

fig. 5-4 qq   치료 후 측모두부방사선 사진 트레   fig. 5-4 rr   중첩된 트레이싱
이싱

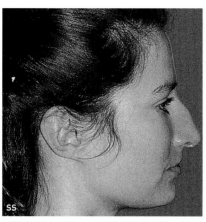
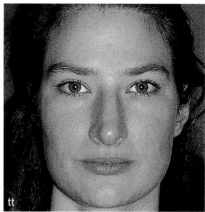
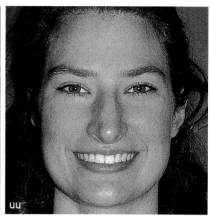

fig. 5-4 ss~uu   치료 후 12년 뒤 안모사진

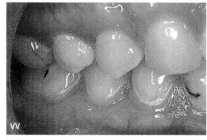
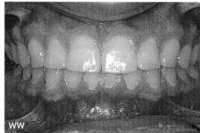
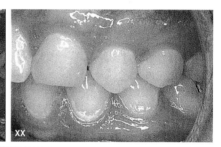

fig. 5-4 vv~xx   치료 후 12년 뒤 구내사진

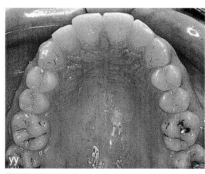
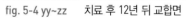
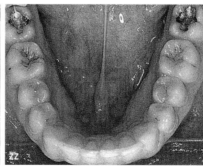

fig. 5-4 yy~zz   치료 후 12년 뒤 교합면

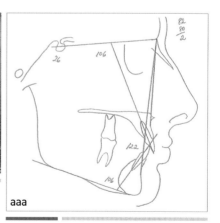

fig. 5-4 aaa 치료 후 12년 뒤 측모두부방사선
사진 트레이싱

증례 5-2

✚ 개요

10세 환자로 혼합치열기이며 1급 구치 관계, 하악 전치부에서 5mm의 악궁길이 부족 그리고 상악 우측 측절치가 전치부 반대교합을 보인다(그림 5-5a에서 5-5j). 환자는 약간 오목한 측모를 보였다.

✚ 검사 및 진단

상악 구치간 폭경이 32mm이고, 하악 견치간 폭경이 23mm이다. 비발치 치료의 가능성을 높이기 위해 조기 치료가 필요하다.

✚ 치료계획

환자는 2단계에 걸쳐 치료 받았다. 치료 1단계(그림 5-5k에서 5-5z)에서 RPE와 립범퍼를 이용해 좁은 폭경을 확장하였고, 하악에서 설측 호선으로 공간을 유지하였다. 설측호선은 1단계 치료가 끝날 때 장착하였다.

치료 2단계에서(그림 5-5aa에서 5-5uu) 잔존 유치를 발치하였다. 환자는 구강위생 관리와 협조도에 문제가 있었다. 일반적인 호선과 악간고무줄을 사용하였다.

✚ 평가

이 증례는 립범퍼와 RPE를 이용한 폭경 확장에 이어 17 × 25 SS 호선을 사용하여 일반적인 악궁 형태와 토크 조절로 완성된 치료의 안정성을 보여주는 탁월한 사례이다. 그림 5-5vv에서 5-5eee는 치료 후 13년 뒤 환자의 모습이다.

✚ 고찰

환자는 이제 29세이고 유지 장치를 제거한 지 7년이 되었다.

table 5-4 호선 순서

Archwire	Duration(months)
Phase I	
Maxillary	
0.0175 multistrand	2
0.016 SS	4
17 × 25 SS	7
Active treatment time :	13 months
Phase II	
Maxillary	
0.0175 multistrand	5
0.016 SS	4
17 × 25 SS	9
Active treatment time :	18 months
Mandibular	
17 × 25 TMA	7
17 × 25 SS	9
Active treatment time :	16 months

table 5-5 개별 힘

Force	Duration(months)
Phase I*	
Maxillary RPE	8
Lingual arch	29
Mandibular lip bumper	9
Elastics	
Crossbite	6
Class II	2
Lateral box	1
Finishing	2
Phase II	
Elastics	
Crossbite	6
Class II	2
Finishing	2

* Mandibular 3 X 3 removed 6 years later.

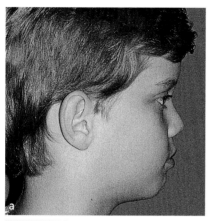
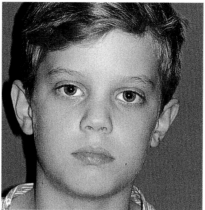

fig. 5-5 a~c 치료 전 안모사진. 약간 볼록한 측모를 보인다.

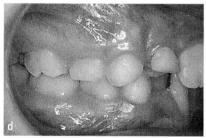
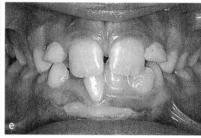
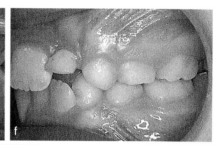

fig. 5-5 d~f 치료 전 구내사진. 1급 구치 관계, 5mm의 수평피개, 그리고 3mm의 수직피개를 보인다.

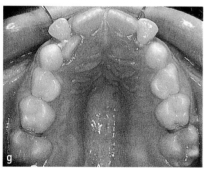
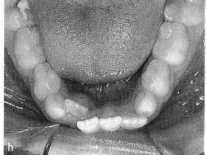
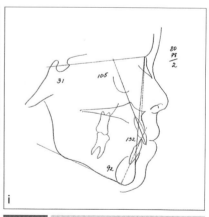

fig. 5-5 g~h 치료 전 교합면

fig. 5-5 i 치료 전 측모두부방사선 사진 트레이싱

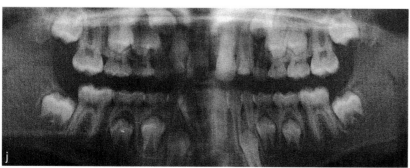

fig. 5-5 j 치료 전 파노라마 사진

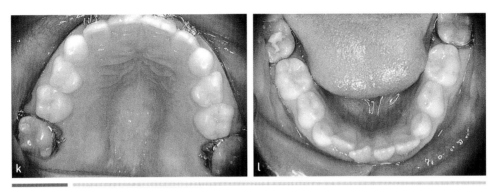

fig. 5-5 k~l 치료 3개월 교합면

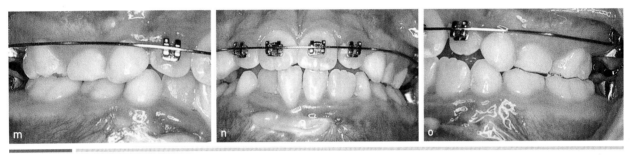

fig. 5-5 m~o 치료 9개월 구내사진: 17 × 25 SS 상악 호선

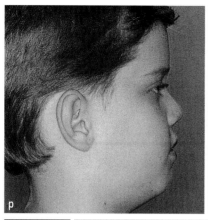
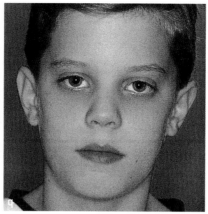
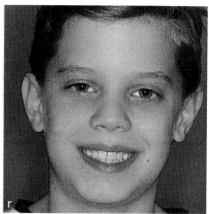

fig. 5-5 p~r   1단계 치료 종료 시 최종 안모사진. 치료 기간은 13개월이었다.

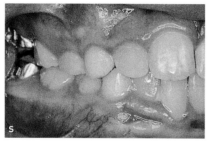
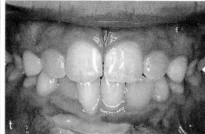
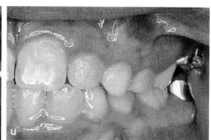

fig. 5-5 s~u   최종 구내사진

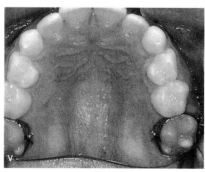
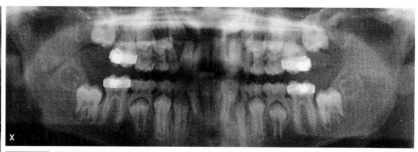

fig. 5-5 x   1단계 치료 종료 시 파노라마 사진

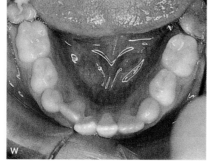
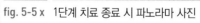
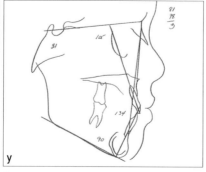
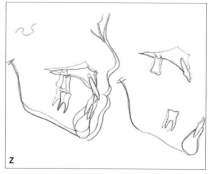

fig. 5-5 v~w   최종 교합면

fig. 5-5 y   1단계 치료 종료 시 측모두부방사선 사진 트레이싱

fig. 5-5 z   중첩된 트레이싱

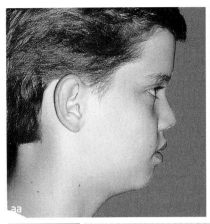
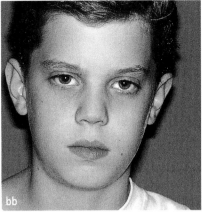
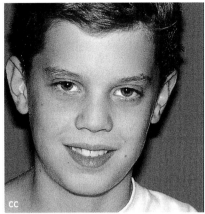

fig. 5-5 aa~cc   2단계 치료 시작 시 안모사진

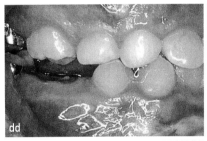
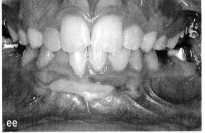
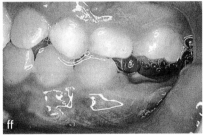

fig. 5-5 dd~ff   2단계 치료 시작 시 구내사진

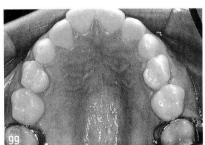
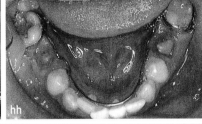
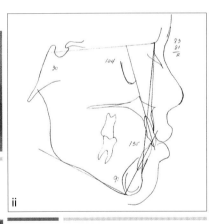

fig. 5-5 gg~hh   2단계 치료 시작 시 교합면

fig. 5-5 ii   2단계 치료 시작 시 측모두부방
사선 사진 트레이싱

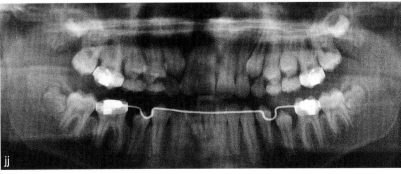

fig. 5-5 jj   2단계 치료 시작 시 파노라마 사진

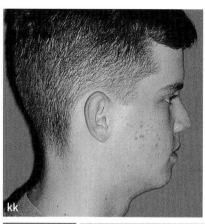
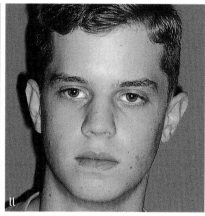

fig. 5-5 kk~mm 29개월 간의 치료 후 최종 안모사진

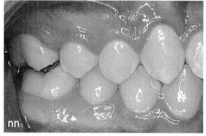
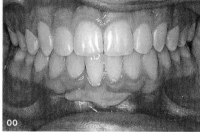

fig. 5-5 nn~pp   최종 구내사진

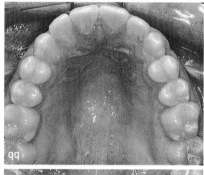
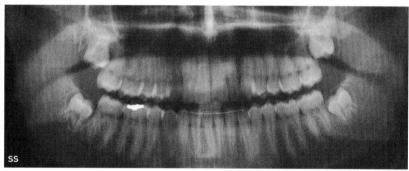

fig. 5-5 ss   치료 후 파노라마 사진

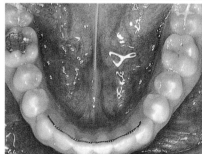

fig. 5-5 qq~rr   최종 교합면

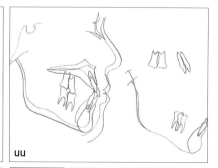

fig. 5-5 tt   치료 후 측모두부방사선 사진 트레이싱   fig. 5-5 uu   중첩된 트레이싱

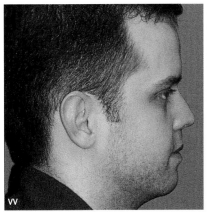

fig. 5-5 vv~xx   치료 후 13년 뒤 안모사진

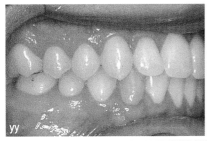
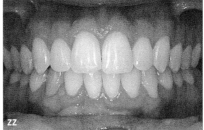
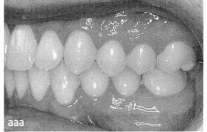

fig. 5-5 yy~aaa   치료 후 13년 뒤 구내사진

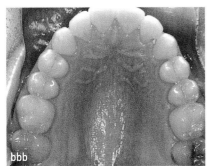
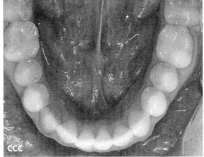
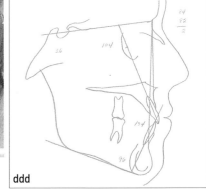

fig. 5-5 bbb~ccc 치료 후 13년 뒤 교합면

fig. 5-5 ddd   치료 후 13년 뒤 측모두부방사선
사진 트레이싱

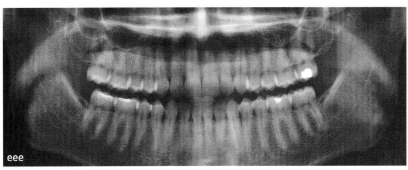

fig. 5-5 eee   치료 후 13년 뒤 파노라마 사진

증례 5-3

✚ 개요

나이 8세 11개월된 소녀는 2급 2류 부정교합을 보였다(그림 5-6a에서 5-6g). 골격성 2급 관계 이외에도, 상악 전치부 수직피개가 6mm, U1-SN각도가 90°이다(그림 5-6h). 하악에 경도의 악궁길이 부조화를 보인다.

✚ 검사 및 진단

우리는 일반적으로 상악 측절치가 맹출한 이후 치료를 시작하기 위해 기다린다. 그러나 과개교합으로 인해 더 일찍 이 문제를 다루기로 하였다.

✚ 치료계획

1단계 치료는 상악 측절치가 아직 맹출되지 않아 상악에 2 × 2 장치로 시작하였다. 측절치 맹출 시, 중절치에 맞춰 브라켓을 부착하여 과맹출을 방지하였다(그림 5-6i에서 5-6u).

✚ 평가

1단계 치료는 21개월 간 진행되었다. 2년 뒤 영구치열이 모두 맹출한 후 2단계 치료를 시작하였다(그림 5-6v에서 5-6jj). 2단계 치료 기간은 23개월이었다. 그림 5-6kk에서 5-6uu는 최종 결과를 보여준다.

✚ 고찰

총 치료 기간은 5년 6개월이 걸렸으나, 실제 치료 기간은 2년 이하로 소요되었다.

table 5-6 호선 순서

Archwire	Duration(months)
Phase I	
Maxillary	
0.016 NiTi	11
0.0175 multistrand	1
0.016 SS	3
17 × 25 SS	6
Active treatment time :	21 months
Phase II	
Maxillary	
0.0175 multistrand	1
0.016 SS	3
17 × 25 SS	19
Active treatment time :	23 months
Mandibular	
0.0175 multistrand	2
0.016 SS	2
17 × 25 TMA	4
17 × 25 SS	9
Active treatment time :	17 months

table 5-7 개별 힘

Force	Duration(months)
Phase I	
Cervical facebow	18
Phase II	
Cervical facebow	6
Elastics	
Midline/Class II left	3
Class II	3
Lateral box	3
Finishing	1

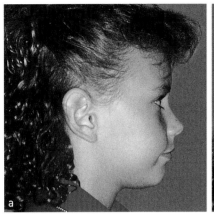
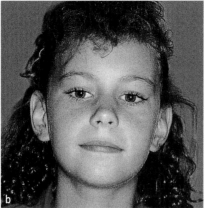
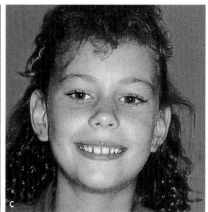

fig. 5-6 a~c 치료 전 안모사진

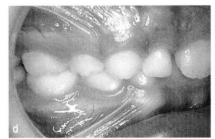
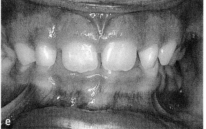
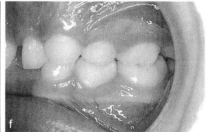

fig. 5-6 d~f 치료 전 구내사진

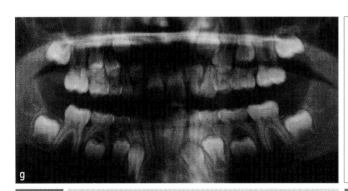

fig. 5-6 g 치료 전 파노라마 사진

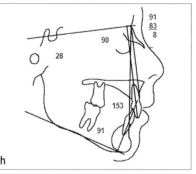

fig. 5-6 h 치료전 측모두부방사선 사진 트레이싱

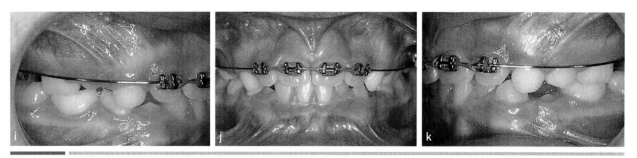

fig. 5-6 i~k 치료 18개월 구내사진

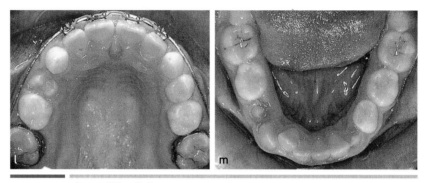

fig. 5-6 l~m 치료 18개월 교합면

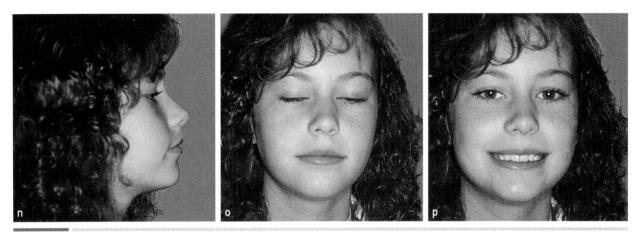

fig. 5-6 n~p 1단계 치료 종료 시 최종 안모사진

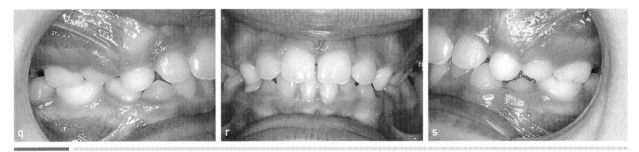

fig. 5-6 q~s 최종 구내사진

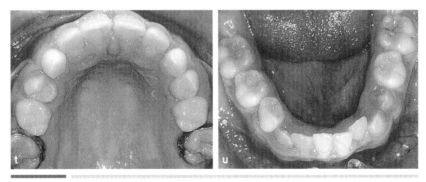

fig. 5-6 t~u 최종 교합면

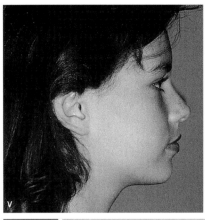
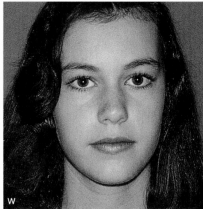

fig. 5-6 v~x 2단계 치료 시작 시 안모사진 (2년 후)

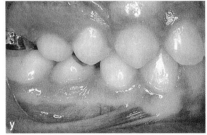
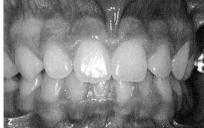
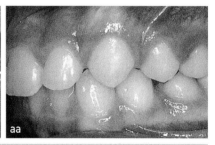

fig. 5-6 y~aa 2단계 치료 시작 시 구내사진

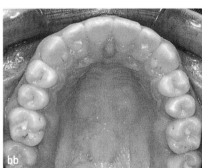
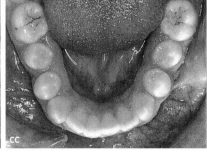
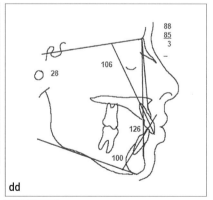

fig. 5-6 bb~cc 2단계 치료 시작 시 교합면

fig. 5-6 dd 2단계 치료 시작 시 측모두부 방사선 사진 트레이싱

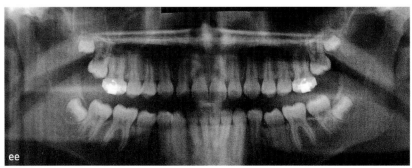

fig. 5-6 ee 2단계 치료 시작 시 파노라마 사진

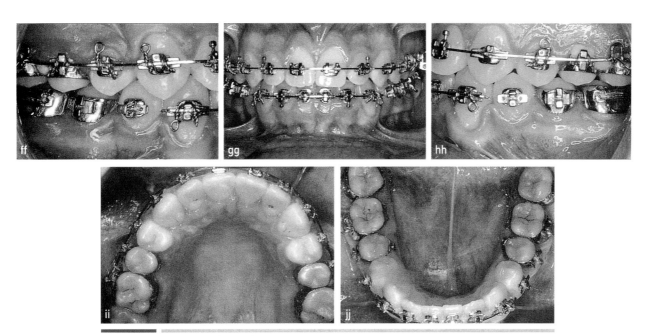

fig. 5-6 ff~jj 치료 22개월 (제2단계)

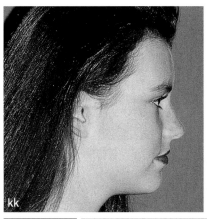
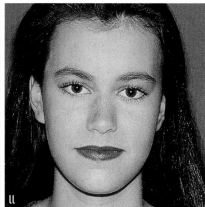

fig. 5-6 kk~mm 23개월 간의 치료 후 최종 안모사진

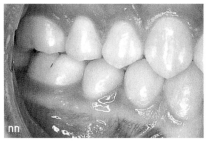
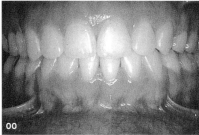
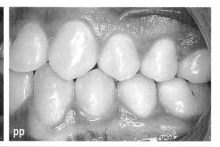

fig. 5-6 nn~pp 최종 구내사진

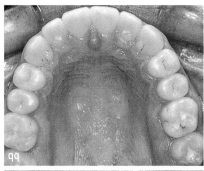

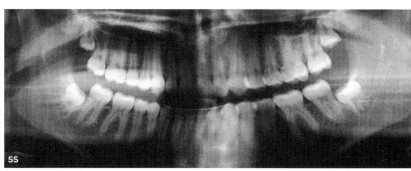

fig. 5-6 ss 치료 후 파노라마 사진

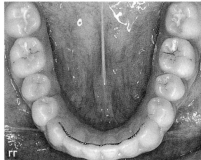

fig. 5-6 qq~rr 최종 교합면

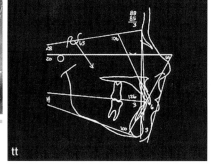
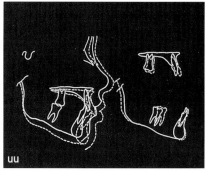

fig. 5-6 tt 치료 후 측모두부방사선 사진 트레이싱 fig. 5-6 uu 중첩된 트레이싱

The Alexander Discipline
Unusual and Difficult Cases

Chapter 06
성인 교정치료

The Alexander Discipline Unusual and Difficult Cases

06 성인 교정치료
Adult Treatment

"Life is about making difficult decisions. Making the right choice will pay off in the end."
인생이란 어려운 결정을 내리는 일의 연속이다. 올바른 선택은 결국에는 보답받는다.

—작자 미상

    성인 교정은 지난 몇십 년 동안 크게 대중화되었다. 대부분의 성인들은 더 나은 외모와 자신감을 갖길 원하며, 더 오래 살고 싶어한다. 이러한 변화한 태도의 결과가 치아의 건강과 아름다움에 대한 증가된 관심으로 나타났다. 과거에는, 자연치없이 20년 이상을 살아가는 것을 당연하게 여겼다. 그 시절에는, 성인 교정은 단기적인 이점만을 제공했다. 예를 들어, 나의 부모님의 경우 40대에 틀니를 사용하였다. 하지만, 지금은 자연치가 전 생애에 걸쳐 유지되기를 기대한다. 따라서 30대, 40대, 또는 50대의 성인이 교정치료를 찾는 것은 어쩌면 당연한 일이다.

청소년 교정치료와의 비교 Comparison with Adolescent Treatment

환자의 나이에 상관없이 교정치료에는 2가지 기본적인 목표가 존재한다—치아 건강과 외모를 향상시키는 것이다. 성인과 청소년 교정치료에서의 차이점은 그 접근법에 있다. 치료역학적인 과정은 기본적으로 동일하다. 그러나 때때로 특정 장치들은 어린이에게 사용했을 때와 성인에 사용했을 때 서로 다른 결과를 만든다. 가장 좋은 예는 구외 견인장치이다. 성장 중인 환자의 골격 유형은 헤드기어 사용으로 큰 변화를 얻을 수 있다. 동일한 장치를 성인에서 사용하는 경우는 치성 변화를 얻기 위해서나 고정원을 목적으로 한다. 성인 증례에서 골격적인 변화는 악교정 수술을 통해서만 얻을 수 있다.

치료와 관련된 성인과 어린이의 또 다른 차이점은 치열의 건강상태이다. 대부분의 청소년 교정 환자들은 우수한 예방적 치아 관리를 받는다. 그 결과로 대개 그들은 건강한 전체 치열을 가지고 있다. 반대로 성인 교정 환자들은 종종 상실치, 브릿지, 크라운, 신경치료된 치아 그리고 치주질환으로 인한 문제점을 가지고 있다. 이러한 사안들은 반드시 교정치료계획과 함께 고려되어야 한다.

협진 치료 Interdisciplinary Treatment

많은 성인 교정 환자들은 치열의 건강을 회복하기 위해 치과전문의들로 이루어진 팀에 의해 치료받는다. 종종 교정과의사가 이 팀의 주장이 된다. 대개 교정과의사가 전체적인 치료 계획을 정하는 역할을 맡는다.

각각의 팀원들은 자신의 역할을 잘 알아야 한다. 치주과의사는 적절한 구강 조직의 건강을 유지하게 된다. 구강외과의사는 수술을 통해 악골을 개선된 위치로 이동시킨다. 교정과의사는 치료 종료시 반드시 치열의 적절한 교합을 얻어야 한다. 교정치료 후 일반 치과의사는 크라운, 브릿지, 그리고 심미수복치료를 맡을 것이다.

치주적인 고려사항

법의학적 이유로, 환자는 교정치료 시작에 앞서 모든 주된 치주적 문제점들을 알고 있어야만 한다. 초진 시에 치주적인 문제가 의심된다면, 진단 기록을 채득하기 전에 환자를 곧바로 담당 치과의사나 치주과의사에게 의뢰한다. 치열과 치주조직의 교정전 검사를 수행하고 필요한 경우 치료를 의뢰한다.

교정 전 치주 평가와 진단기록 채득에 이어, 치주과의사와 교정과의사가 함께 진단기록을 검사한다. 치주과의사는 어떤 치아를 유지하고 어떤 치아를 발치할 것인지에 대한 의견을 나눈다. 교정과의사는 최종적인 진단을 준비하는데 이러한 정보를 활용할 것이다.

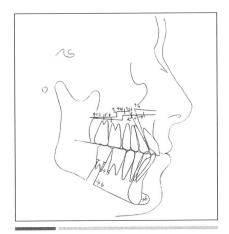

fig. 6-1 수술 예측 트레이싱

치주 조직은 종종 성인 교정치료의 효과를 제한하는 주된 요인이 된다. 기존의 치주 문제가 드러나면, 반드시 그 주변부에 치태가 남아 있지 않도록 매우 세심한 관리가 반드시 이루어져야 한다. 치아 이동 시 치주 질환이 있는 부위에 염증이나 외상성 교합이 발생하면 치주 질환이 악화될 수 있다. 치주 질환이 있는 환자는 교정치료 기간 동안 6주~3개월 간격으로 치주과의사에게 검진 받도록 한다. 환자의 치주 건강에 대한 책임은 치주전문의의 손에 달려 있다.

악교정수술적인 고려사항

악교정수술이 필요한 증례는, 구강외과의사와 회의를 준비한다. 대부분의 경우에서, 수술 예측 트레이싱(그림 6-1)은 중요하다. 상담을 통해 환자에게 예상되는 수술의 특성에 관해 설명한다. 수술 예측과 최종 결과가 똑같지 않을 수 있다는 점 때문에 이 트레이싱을 환자에게 보여줄 때 주의가 필요하다. 비현실적인 기대는 환자가 최종 결과에 대해 실망하게 만든다.

일반 치과적인 고려사항

종종 임시 치아, 플라스틱 전치 캡 또는 크라운의 제작을 위해 환자를 담당 치과의사에게 보낸다. 가능하면 모든 크라운과 브릿지 제작은 교정 치료가 완료될 때까지 연기한다. 그 시기에는 교합에 더 잘 맞는 크라운을 제작할 수 있다.

기타 고려사항

성인 교정에서는 치아 상실로 인해 생긴 공간을 교정으로 폐쇄할 것인지 아니면 공간을 형성하여 치과의사가 브릿지 또는 임플란트를 시술할 것인지에 관한 질문이 종종 나온다. 공간을 폐쇄하고 유지할 수 있다고 결정되면 이러한 치료 계획이 언제나 추천된다. 브릿지 보철을 할 필요가 없다면 장기적으로 환자에게 더 유리할 것이다.

성인 교정 환자의 최근 증가 추세로 인해 악관절(TMJ) 문제가 교정치료에서 중요한 사안이 된다. 청소년은 악관절 문제를 거의 경험하지 않는 반면, 많은 성인 환자가 악관절 증상이나 장애를 보인다. 그 결과로 교정과의사가 악관절 치료에 관한 지식을 넓힐 필요성이 생겼다.

성인 교정치료의 한계점 Limitations of Adult Treatment

치성 한계점

임상경험에 의하면 성인의 치열이 청소년의 치열에 비해 더 쉽게 경사이동된다. 그러나 청소년 증례에서 종종 보는 치체이동의 양을 성인에서는 골밀도로 인해 얻기 힘들다. 따라서 성인의 치료에서는 토크 조절도 더 어려워진다. 그러나 압하, 정출, 악궁 배열, 그리고 회전 교정에 있어서의 한계는 환자의 나이와는 관련이 적다.

발치 증례에서 견치의 후방견인은 성인에서 더 용이하다 그러나, 발치 공간 폐쇄를 유지하기란 상당히 어렵다. 성인의 비발치 증례에서 치료전에 상당량의 공극이 존재한 경우(상실 치아 없이), 치료 후 공간이 다시 벌어지는 경향이 있다.

골격적인 한계점

3차원적 공간에서 치료 원리는 성장기 환자와 성장이 끝난 환자 간에 큰 차이가 있다. 많은 임상적 비발치 치료법은 성장기 환자의 시상면상 부조화를 교정하는 데 유용하다. 구외 견인, 기능성 장치, 구내 고무줄, 선택적 발치 모두가 사용될 수 있다. 그러나, 전적으로 성장에 의존하는 치료법은 성인에서는 효과가 없다. 그러므로, 구내 고무줄 사용과 선택적 발치가 효과를 볼 수 있는 유일한 방법이다.

2급 구치 관계를 얻기 위해 상악 제1소구치만 발치하고 교정치료를 진행하면 6전치를 발치 부위로 후방견인하게 된다. 이 방법으로 1급 견치 관계를 형성하고(그림 6-2) 더 만족스러운 측모를 만든다. 그러나 상당한 심미적 개선에도 불구하고 골격적인 변화는 없다.

횡적인 폭경면에서 성장이 끝난 환자의 악궁을 확장하기 위한 2가지의 방법이 있다. 하나는 RPE

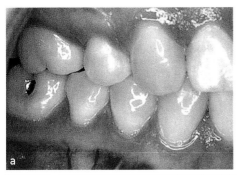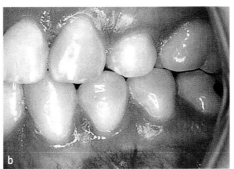

fig. 6-2   (a와 b) 제1소구치 발치 후 1급 견치 관계의 형성

와 외과적 수술을 같이 적용하는 것이다. 먼저 확장장치를 환자의 구강에 장착한다. 그런 뒤, 구강 외과의사가 협측 피질골을 절개하고 정중구개봉합을 분리시킨다. 이 때, 확장장치를 청소년 치료에서와 같은 방법으로 활성화시키면 많은 양의 확장을 얻는다. 최근, 성인에서 비수술 급속구개확장이 더 일반적으로 사용된다.

악궁 폭경이 서로 맞지 않는 경우 치료법은 한쪽 악궁에는 호선을 확장하고, 다른 악궁에는 호선을 좁게 만들어 적용하는 것이다. 일반적으로 반대교합 고무줄을 같이 사용한다. 그러나 성인에서 이러한 방법을 적용하면 주로 치아의 협설측 경사이동을 얻게 된다. 술자는 치아가 치조골 바깥으로 이동하지 않도록 주의를 기울여야 한다. 신중하게 접근한다면 이 방법으로 반대교합을 교정할 수 있다.

성인에서 대부분의 수직적 부조화는 악교정수술로 가장 잘 치료된다. 치료 시 역학적으로는, 구치의 정출을 방지하는 것만 고려하면 된다. 상방견인 페이스보우, 횡구개호선, 친컵, 그 외 다른 장치들이 이러한 정출을 억제하기 위해 사용된다. 제1대구치 발치 등, 드물게 시행되는 구치부 발치로 종종 수직 고경을 감소시킬 수 있다.

브릿지 보철 Bridgework

이미 브릿지 보철물을 가지고 있는 환자를 치료(그림 6-3)할 때 그 난이도는 브릿지의 질과 지대치의 위치에 달려 있다. 치아가 경사져 있다면 브릿지도 이에 맞춰 제작되었을 것이다. 이러한 경우 종종 치조골 흡수를 보인다. 교정치료 전 브릿지의 인공치 상태가 양호하고 지대치 치근이 바로 서 있고 건강하다면 치료 기간동안 브릿지를 유지한다.

간혹 브릿지에 교정 브라켓을 꼭 부착해야 하는 경우가 있다. 브릿지의 협면이 세라믹이면 작업은 용이하다. 그러나, 전부 금으로 제작된 브릿지라면 문제가 발생한다. 이 경우 호선이 브릿지 앞쪽까지만 들어갈 수 있다.

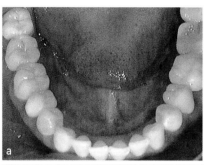 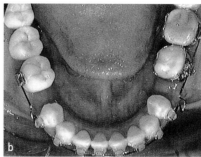 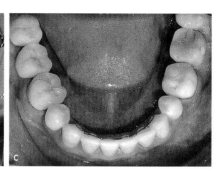

fig. 6-3   브릿지 보철이 있는 경우의 교정. (a) 초진 구내사진. (b) 부착된 교정장치. (c) 최종 구내사진

치료 기간 Treatment Time

성인 환자의 평균 치료 기간은 일반적으로 청소년과 같거나 짧다. 일반적으로 성인 치열이 그렇게 빨리 재위치될 수 없다는 점에서 이는 흥미로운 현상이다. 게다가 빠른 결과를 얻는 데 도움을 줄 성장은 남아 있지 않다. 유일한 이유가 될 수 있는 것은 환자 협조도이다. 협조도가 좋다는 것은 악간 고무줄이나 헤드기어 착용의 지시사항을 잘 따르는 것에 국한되는 것이 아니라, 구강위생 관리까지도 포함된다. 성인 교정치료는 종종 치주적인 문제와 연관되기 때문에 성인 환자는 대개 치아 관리를 잘 하게 된다. 치아는 건강한 환경에서 더 빨리 이동하는 것으로 보인다. 따라서 치료 기간은 문제의 난이도와 환자의 협조도에 따라 달라지게 된다.

발치와 비발치 Extraction Versus Nonextraction

성인 환자에서 하악 소구치 발치는 다른 모든 가능한 대안을 매우 신중히 평가한 후에만 고려해야 한다. 치료 계획이 3급 교합 관계를 만드는 것이 아니라면 하악 소구치 발치는 대개 상악 치아의 발치를 필요로 한다. 성인 환자에서 4개의 소구치 발치로 인한 부정적인 결과가 많이 발생한다. 첫째로, 이러한 발치 유형은 2급 부정교합이 적절하게 교정되는 것을 매우 어렵게 만든다. 둘째, 치아의 이동 거리를 증가시켜 환자의 불편감, 치료 기간, 치근 흡수의 가능성 그리고 치주 문제가 생길 가능성을 증가시킨다.

치성 2급 관계를 가진 성장기 환자에서 헤드기어로 구치 관계를 교정할 수 있다. 하지만 성인에서는 상악 제1소구치만 발치하고, 상악 6전치를 후방견인하여 2급 구치 관계를 얻게 된다.

성인에서 상실치가 있는 경우 종종 발치를 결정한다. 상실치를 가진 성인의 경계선 증례는 발치 치료로 기울게 된다. 흔히 악궁의 한쪽에만 상실치가 있는 경우 정중선이 그 쪽으로 쏠리고, 상실치로 인한 공간으로 전치가 이동한다. 정중선을 수정하기 위해 종종 반대편의 같은 치아를 발치하기도

한다. 하지만 반대로, 정중선이 상실치 반대편으로 돌아가 있다면, 공간을 닫아 한쪽은 2급 관계, 다른 쪽은 1급 관계로 만드는 것이 최선이 될 수 있다.

한쪽 구치가 상실된 발치 증례에서 대개 반대편 구치의 상태도 좋지 않다. 이러한 상황에서 건강하지 않은 구치를 제거하는 것이 치료 선택이 된다. 하지만, 남아 있는 구치가 건강하고 총생이 주로 악궁의 전치부에 한정되어 있다면 제1소구치 혹은 제2소구치를 발치하고 악궁 양쪽에 있는 모든 공간을 폐쇄한다.

구치 상실은 성인 환자에서 상당히 흔하다. 하악궁의 후방부에 공극이 존재하고, 전방부에 총생이 있다면 후방 공간을 발치 부위인 것처럼 사용하고, 총생 치열을 이 공간으로 이동시킨다. 전방 치아를 후방견인하고 후방 치아를 전방으로 이동시켜 공간을 폐쇄한다.

종종, 악궁에 총생의 양이 적은 경우 브릿지 보철로 치아 상실로 인한 공간을 유지한다. 스틸 호선 사용 시 상실치 자리에 스텝다운 밴드를 넣어 공간을 보존한다 (그림. 6-4). 스텝다운 밴드는 다른 공간 유지 방법들에 비해 2가지 장점을 가지고 있다: (1) 환자의 교합으로부터 호선까지 거리를 주어 호선의 교합접촉을 방지하고, (2) 공간쪽으로 기울어진 인접 구치의 직립을 돕는다.

가장 치료하기 어려운 성인 증례는 종종 깊은 스피만곡을 가진 경우이다. 이 경우 과개교합을 동반한다. 성인 교정일 때, 일반적인 치료방법은 하악에서만 발치하는 것을 마지막 수단으로 고려한다. 하악 발치로 인해 발생되는 역학적 문제점은 환자가 깊은 스피만곡을 가진 경우에 증폭된다. 하악 제2소구치를 발치한 후 깊은 스피만곡을 배열하는 것은 매우 어렵다. 발치된 치아는 만곡의 가장 깊은 지점에 위치한다. 공간 폐쇄를 시도함에 따라 인접치는 발치 공간으로 기울어지게 되어 과개교합을 악화시킨다. 사용가능한 대안으로 전치의 전방이동 이외에도, 인접면 삭제, 제한적 구치 직립 (확장)이 있다. 이러한 접근법의 단점은 분명히 재발 가능성이 있다는 것이다. 또 다른 방법은 하악 전치 하나를 발치하는 것이다. 앞서 언급한 바와 같이, 교정치료 시 성인의 치열은 청소년에 비해 쉽게 경사되는 경향이 있어서 발치 공간은 이 문제를 더욱 악화시킬 것이다. 게다가, 토크 조절(특히 상악 전치 후방견인 시)이 성인에서 더 어렵기 때문에 적은 치아 이동이 보다 더 바람직하다. 총생을 해소하기 위한 한 개의 하악 전치 발치는 (치아크기 분석에서 바람직한 경우) 많은 증례에서 현실적인 대안이다. 선택된 증례에서 전치부와 구치부 모두에서 인접면법랑질 삭제의 시행은 진지하게 고려할만한 대안으로 추천된다.

치주적 건강 Periodontal Health

요즘은 교정과의사가 치주건강에 대한 기본적인 이해와 치주과의사와의 원활한 협력 관계를 가지는 것이 필수적이다. 과거에는 거의 대부분의 교정 환자가 청소년이었기 때문에 전문의들 간의 상호 작용이 거의 없었다. 일반적으로 어린 환자의 치주조직은 교정치료로 야기되는 외상을 견딜수 있다. 간혹 부족한 부착 치은이나 과도한 소대와 같은 치은점막부 결손은 선천적인 문제이고, 교정과

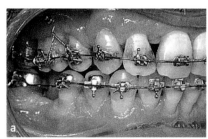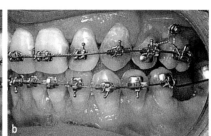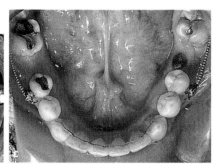

fig. 6-4 (a 와 b) 스텝다운 밴드. (c) 임플란트 식립에 앞서 공간을 보존하기 위해 코일스프링을 위치시켰다.

의사는 이 환자를 치주과의사에게 의뢰해야 한다. 그러나 이런 경우는 드물다. 이와 대조적으로, 치아 위치이상을 동반한 성인 환자에서 치주조직의 약화는 흔하게 나타난다. 치주질환은 단순 치은염에서부터 만성 치주염에 이르기까지 범위가 넓어서, 그 정도가 경증에서 중증까지 다양하고, 국소적 또는 전체적인 부위의 치주질환까지 포함한다. 성인의 경우 현존하거나 또는 잠재적인 치은점막부 결손에 대한 면밀한 평가가 반드시 이루어져야 한다.

교정치료 전 치주 검사

모든 성인 환자는 교정 치료 전 치주 평가를 위해 의뢰해야 한다. 활동성 치주염이 있는 상태에서는 교정적 치아 이동으로 인해 급속한 골부착 상실이 발생할 수 있다. 그러므로, 치은연하 치석과 치태의 제거는 치주낭 염증을 조절하거나 최소화하는데 필수적이다.

환자 초진시, 치은 조직에 대한 주의깊은 검사가 필수적이다. 연조직의 건강상태와 형태를 반드시 관찰해야 한다. 치주적 고려사항은 환자의 차트에 항상 기록한다(그림 6-5). 가장 먼저 각화 치은을 관찰하고, 그 폭경과 두께를 기록한다. 그 뒤에, 협설측 치근주위골의 상대적인 두께를 관찰한다. 상악과 하악의 소대를 검사하고, 뚜렷한 특징을 보이면 기록해둔다. 추가로, 치주 부착 소실의 양, 잔존 치주 부착, 그리고 임상 치관-치근 비율도 관찰해야 한다. 치근 근접성과 치간골의 폭경도 기록한다. 물론, 이를 위해서 전악 치근단 방사선 사진과 치주 탐침이 필요하다. 초진 시 환자의 치아우식증에 대한 취약성도 기록한다. 상실치, 경사진 치아, 환자의 교합 역시 기록한다.

종종 환자가 치주 질환에 저항성이 있는지 아니면 매우 취약한지를 파악하는 것은 쉽다. 후자의 경우 교정치료를 시작하기 전에 각별한 주의를 기울여야 한다. 치주적으로 취약한 환자의 경우, 치주과의사와 교정과의사 간의 긴밀한 협진 관계가 형성되어야 한다. 교정과의사는 적절한 구강 위생을 유지하기 위한 환자의 숙련도와 능력을 파악해야 한다. 구강위생 유지에 어려움을 겪는 환자에게는 특별한 관심, 추가적인 교육 그리고 정교한 구강 위생 용품이 제공되어야 한다.

2012. 1. 30.	Dr. Wright와 전화 통화: 취약한 부위에서 치주 상태의 면밀한 관찰 요망, 상악 우측 제2대구치의 예후 불투명, 하악 제2대구치들 근심 치조골 결손 있음, 이 부위 직립 혹은 근심이동이 어려울 수 있음, 근심이동 시도하고 최악의 경우 발치, 임플란트 식립하는데 동의, 상악 제1대구치를 고정원으로 사용은 어려울 듯(Nance 장치 사용하더라도), 고정원으로는 교정용 미니임플란트(TADs) 사용을 고려하는 것이 최선임
2012. 2. 1.	Dr. Menton과 전화 통화: 치료 방법에 관해 논의, 하악 제3대구치들과 상악 좌측 제1소구치 발치에 동의함
2012. 2. 13.	Dr. Menton과 전화 통화: 치료 계획 확정, 모두 양호하고 치료 진행할 준비 완료함

fig. 6-5 환자 차트에 기록된 치주적 고려사항

환자 협조도

아마도 치주 건강에서 가장 중요한 측면은 환자의 협조적인 태도와 능력이다. 신환이 가진 주된 문제들을 검사한 후, 교정과의사는 환자에게 다음과 같은 질문을 한다: "당신의 치아는 당신에게 얼마나 중요한가요?" 열성적인 사람은 성공적인 치료 결과를 얻기 위해서 많은 시간과 노력을 들이지만, 불편감이나 경제적인 비용을 크게 고려하지 않는다. 그러나 환자 협조도과 더불어 협진 치료, 최첨단의 치의학으로 거의 모든 치과적인 문제는 크게 개선될 것이다. 그럼에도 불구하고, 우리의 능력을 과대평가하지 않도록 주의해야 한다. 어떠한 치과 치료도 확실하게 보장되는 것은 없다.

치주과로 의뢰된 경우의 일반적인 치료과정

치은 이식술

우리 병원에서 의뢰한 가장 흔한 치주 치료는 하악 전치부 치은점막 결손의 수정이다(그림 6-6). 초진 시, 이 부위의 연조직이 부족하면 유리치은 이식의 필요성을 평가하기 위해 환자를 곧바로 치주과의사에게 의뢰한다. 우리 병원에서는 8, 9세의 어린 환자를 유리치은 이식을 위해 의뢰한 적이 있다. 나이가 많은 환자에서, 치은점막 문제의 평가를 위해 즉시 치주과의사에게 의뢰하는 것은 더욱 중요하다. 교정치료 시작 전에 치은 이식을 시행하는 것이 가장 좋다. 환자가 하악 또는 상악에 부착치은의 폭경이나 두께가 부족한데도 교정치료 전 치은 이식을 시행하지 않으면 치료 도중 치은 퇴축이나 열개가 생길 수 있다.

치주인대섬유절제술

치주인대섬유절제술을 위해 치주과의사 또는 일반 치과의사에게 의뢰한다. 이 술식은 치료 전 회전되어 있던 치아, 치료 중 협설측 또는 수직적으로 많은 이동이 진행된 치아, 또는 많은 양의 정출이 시행된 치아를 가진 모든 성인 환자에게 추천된다. 이 술식은 해당 치아가 제위치로 자리 잡은 이후 장치 제거 최소 6주 전에 시행한다. 술식은, 수술용 칼을 해당 치아의 치은 열구에 삽입하여 치아 주변의 상피 부착을 절단하는 것이다.

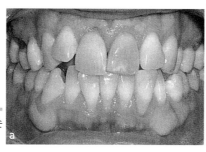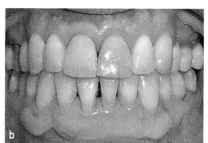

fig. 6-6　(a) 하악 전치부 치은점막 조직 결손
부. (b) 전치부 치은 이식 후.

매복치의 외과적 노출

치주과의사에게 흔히 의뢰하는 또 다른 치료는 매복치의 외과적 노출이다. 구개측으로 매복된 견치는 많은 교정병원에서 일상적으로 치료하는 것이다. 그러나, 장기간 성공률은 불투명하다. 종종, 구개측 매복 견치 치료가 일반적인 치료보다 오래 걸리고, 영구적인 결과는 덜 안정적이다. 저자의 병원에서 견치를 외과적으로 노출하여 맹출시킨 경우 중 가장 나이 많은 환자는 33세였다. 그러나 정상적인 조건에서 이러한 치료는 나이에 관계 없이 시도할 수 있다.

교정치료 중 잠재적인 치주 문제

교정치료 중에 발생하는 가장 흔한 치주 문제는 치은염이다(그림 6-7). 이것은 교정 장치가 있을 때 환자가 치아를 깨끗하게 유지하지 못해 치태와 치석이 축적된 결과이다. 앞서 언급한 것처럼 보통 성인 환자는 교정 장치가 있는 동안 청소년보다는 구강 청결을 유지하려는 동기유발이 더 잘 된다. 그러나 장치가 있는 물리적 환경은 가장 열성적인 성인 환자에서도 구강 위생 관리를 어렵게 한다. 브라켓 부착 시 사용되는 산부식 방법 또한 적절한 관리가 되지 않을 경우 치은조직을 자극할 수 있다. 교정 장치를 장착하는 동안 오래 지속된 치은염은 연조직 증식을 야기할 수 있다.

치주 문제를 일으키는 다른 의원성 원인으로는 치아에 잘 맞지 않는 밴드, 충분히 제거되지 못한 잉여 접착제, 그리고 조직에 압력을 가하는 악간 고무줄의 사용이 있다. 치주 농양은 적합성이 부족한 장치나 비위생적 상태로 인한 결과로 생길 수 있다. 게다가, 교정치료가 진행되는 동안 치아가 이동하면서 교합성 외상이 발생할 수 있고, 이는 결과적으로 치주 문제를 일으킬 수 있다. 치료가 진행되면서 진행성 치주염이 생길 수 있고, 이는 치은 부착 소실을 야기한다. 이것은 치료되지 않은 조직 염증으로 인한 결과이다. 부적절한 교정 치료 또한 그 요인이 될 수 있다. 교정력이 너무 강하거나 치아 이동이 너무 빠르면, 영구적인 치주 문제가 생길 수 있다.

교정치료의 "숨겨진 흉터" 중 하나는 치근 흡수이다(그림 6-8). 수년간 이 현상에 대해 많은 연구가 이루어졌지만, 무엇이 실제로 치근 흡수를 야기하는지에 대한 의문은 여전히 남아 있다. 분명한 것은 치아 이동을 유발하는 힘이 가능한 약해야 한다는 것이다.

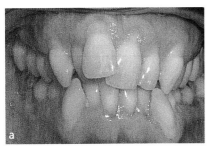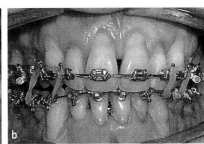

fig. 6-7 (a) 치은염이 있는 초기 사진
(b) 교정 장치의 부착

치주적인 문제의 교정적 개선

교정치료에 의해 개선되거나 치료되는 치주적 고려사항은 다음과 같다:

- 지대치들을 서로 평행하게 만든다.
- 근심골 결손과 관련되어 근심 경사된 치아를 직립시키고 치주낭 깊이를 줄이거나 제거한다.
- 치아를 골 결손부로 이동시켜, 결손부의 제거 또는 축소를 도모한다.
- 악궁 내에서 더 유리한 위치에 지대치를 배열한다.
- 적절한 치근 간격을 확보한다.
- 교두-와, 골(groove) 교합관계를 형성하고 교합력이 치아 장축에 전달되게 배열한다.
- 적절한 교합평면, 전치유도 그리고 전방교합이개를 형성한다.
- 치은연 또는 그 하방에서 파절된 치아를 교정적으로 정출시켜 적절한 생물학적 폭경을 만들고 크라운 보철을 가능하게 하거나 골내 결손을 수정 또는 감소시킨다.

잘 치료된 교정치료의 결과로 환자가 얻게 되는 가장 큰 치주적인 이점은 치주조직의 개선된 유지가능성이다. 치아가 잘 배열될 때 치은 형태가 개선되고, 환자가 치아를 치태없이 깨끗하게 유지할 가능성은 매우 높아진다.

치료 후 관리

지속적인 유지관리가 성인 교정 환자에서 필수적인데, 이를 통해 정상적인 치주 건강이 회복되고 평생에 걸쳐 유지될 수 있기 때문이다. 모든 수복치료나 보철치료는 교정치료가 끝난 후 시행해야 한다. 교정치료가 완료된 후 약 6개월 뒤에 교합 조정이 필요할 수 있다. 대부분의 성인 교정 환자는 어떤 형태로든 유지장치가 계속해서 사용해야 한다.

모든 교정치료의 궁극적인 성공은 환자의 여생에 걸쳐 매력적이고 건강한 치열을 얻는 것이다. 이는 교정과의사가 치아를 이룰 수 있는 최고의 교합관계로 배열하고, 환자는 적절한 구강 위생을 유지하며, 효과적인 유지관리를 위해 정기적으로 치과의사의 검진을 받을 때에만 얻을 수 있다. 오늘날 적용할 수 있는 현대적인 치료방법을 통해서 모든 환자가 자신의 치아를 평생동안 유지하는 것은 실현가능한 목표라고 생각한다.

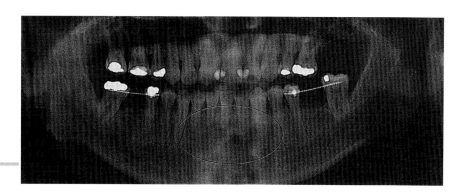

fig. 6-8   치근 흡수

절충된 치료 Compromised Treatment

교정과의사는 성인 환자를 치료할 때 어느 정도의 절충안을 받아들여야만 한다. 환자는 더 이상 성장하지 않으므로, 어떤 골격적 변화도 오직 수술을 통해서만 얻을 수 있다. 마찬가지로, 치아는 오랫동안 그 위치에 있었기 때문에 잠재적인 재발 가능성이 더 높은데, 특히 공극 개방의 경우 더욱 그러하다. 따라서, 절충된 치료의 주된 목표는 환자의 전체적인 심미적 안모를 향상시키고, 회전은 제거하며, 치아를 각각의 악궁내에서 배열하고, 수용할만한 기능 교합을 얻어서 환자의 치주 건강을 유지하는 것이다

최근 교정치료를 원하는 성인 환자의 수가 증가함에 따라, 임상가는 현실적인 대안으로서 수술과 비수술 치료 계획 둘다 고려할 수 있는 증례들을 자주 보게 된다. 뚜렷한 골격성 부정교합을 가진 경우 교정적 치아 이동만으로는 악골, 치아 그리고 연조직의 정상적인 관계를 형성할 가능성은 낮다. 그러나 그외 증례들에서는, 비수술 치료 계획으로 훌륭한 결과를 얻을 수 있다. 임상가는 공간의 3가지 평면(시상면, 폭경, 수직면) 상의 한계를 인정하면서도 만족스런 치료 결과를 얻는 것이 가능하다고 판단하게 된다. 만약 환자가 좋은 정적, 기능적인 교합, 이후 치주나 교합 문제의 낮은 발생 가능성, 그리고 안모와 치아의 심미성의 개선을 보여주는 결과를 얻을 수 있다면, 사실상 비수술적 방법이 가능한 최고의 선택이 될 것이다. 성장이 끝난 성인 환자에서는 현실적인 치료 목표를 결정해야 하고, 어느 정도의 절충을 인정하는 것이 무능함이나 불완전한 치료로 생각되어서는 안 된다. 많은 환자들이 어떤 형태든 수술을 받는 것을 확고부동하게 거부하며, 성인의 치열은 이미 수차례에 걸쳐 상당한 절충을 겪었기 때문에 대안적 치료 계획들은 항상 고려되어야 한다.

진단을 통해서 악교정수술이 바람직하다고 판단되면 환자와 상담 시 수술과 비수술의 두가지 치료 선택을 모두 제시한다. 환자에게 교정 치료와 수술을 결합하는 것이 보다 효과적이며, 대안적인 치료(비수술적 치료)도 가능함을 설명한다. 그런 뒤 수술 치료의 장점과 단점에 대해 논의한다.

수술의 가장 명백한 장점은 골격 관계를 개선하여 교정 치료를 통해서 더 좋은 교합관계 얻는 것이 가능하다는 것이다. 게다가 수술을 동반하면 치료 기간도 짧아진다. 수술의 주된 단점은 전신 마취가 필요하다는 점이다. 전신 마취가 적용될 때 몇몇 선천적 위험요소는 항상 존재한다. 또한, 감각이상의 가능성도 있다. 악교정수술 시 하악 신경의 손상은 혀와 하순에 영구적인 감각마비를 야

기한다. 신기술로 총 고정 기간이 감소했지만, 술후 고정은 환자에게 상당한 불편감을 준다. 게다가 실제 수술 결과가 예상한 결과에 비해 심미적으로 덜 만족스러울 가능성이 있다. 마지막으로, 수술-교정 치료의 비용은 교정치료만 한 경우보다 더 높다.

때때로 술전 교정 기간에 환자가 수술에 동의했던 초기 결정을 취소하는 경우가 있다. 2급 1류 비발치 증례로 하악골의 외과적 전방이동으로 진단한 경우라면 치료 계획의 중도 변경으로 교정과의사는 2가지의 대안을 가지게 된다:

1. 2급의 구치 및 견치관계를 유지하여 치료한다.
2. 상악 제1소구치를 발치하여 2급 구치 관계와 1급 견치 관계를 형성한다.

절충된 결정이지만 저자는 2급 관계를 유지하는 것을 선호하는데, 왜냐하면 상악 제1소구치를 발치하고 상악 전치를 후방견인하면 측모의 심미적인 균형을 해칠 수 있기 때문이다. 더 나아가 상악 소구치를 발치하지 않으면 환자는 추후에 수술 치료를 받을 수 있게 된다.

비수술 치료 계획 Nonsurgical Treatment Planning

성인의 비수술 치료에서 현실적인 목표 설정은 필수적이다. 교정과의사는 종종 치아 상실과 브릿지 보철을 포함해서 손상된 치열을 다루게 된다. 이러한 조건에서 치료 계획의 조정은 반드시 고려되어야 한다. 잠재적인 문제—특히 치주적인 (이전 단락 참조)—들은 치료 시작 전에 예측하고, 이를 환자에게 설명해야 한다. 특히, 중첩된 전치가 배열된 후 나타나는 "블랙트라이앵글"의 가능성에 대해 분명히 설명해야 한다. 또 이러한 치간 유두의 소실은 하악 전치를 발치하고 공간을 폐쇄한 후에 발생할 수 있다. 성장기 환자에서는 대개 문제가 되지 않지만, 성인 환자에서 발치 부위는 치료 후 다시 열리려는 경향이 있다. 이는 장기간 유지된 발치 부위에서 특히 흔하다.

악교정수술 Orthognathic Surgery

교정치료를 동반하는 악교정수술 건수가 해마다 증가하고 있다. 환자들은 교정치료와 수술을 결합했을 때 얻을 수 있는 안모의 드라마틱한 변화를 인지하고 있다. 대중매체는 사람들에게 수술의 이점들을 매력적이고 흥미로운 방식으로 전달한다. 의문의 여지없이 전보다 많은 환자들이 수술-교정치료를 받길 원한다.

악교정수술의 적응증

수술을 추천하기 전에 답해야 할 중요한 질문은 현재의 환경에서 균형 잡힌 치아치조 관계와 연조직 측모를 얻을 수 있는 위치로 치아를 이동시킬 수 있는지 여부에 관한 것이다. 만약 교정치료만으로 이러한 목표를 달성할 수 있다면 수술은 불필요하다. 그러나 치아치조 조직과 연조직이 균형있게 위치될 수 없다면 목표를 달성하기 위해 수술이 추천된다.

수술 증례의 진행

수술 전 교정
수술 전 교정의 목표는 다음과 같다:
- 모든 회전의 제거
- 공간의 폐쇄
- 치료 계획의 일부분으로 필요한 악궁의 배열
- 전치의 전방 또는 후방 견인
- 두 악궁의 조화

수술이 가까워지면 모든 경과 기록을 채득한다. 연구 모형은 악궁을 배열하기 위해 기본적으로 사용되어 수술이 시행될 때 상악과 하악궁이 정상적인 관계로 교합되게 한다. 적절한 협측 수직피개와 수평피개가 중요하므로 수술로 반대교합이 생기지 않아야 한다. 수술 결과로 반대교합이 발생하면 술후 교정치료시 수정될 수 있다. 이상적인 수직피개와 수평피개는 필수적이지 않지만, 잘 맞게 교합하도록 두 악궁의 적절한 견치간 폭경은 수술전에 형성되어야 한다.

수술 과정
장치의 최종적인 확인을 위해 입원일 하루나 이틀 전에 환자는 교정과로 내원한다. 결찰 훅이 협측 브라켓에 부착되고, 설측 브라켓의 경우 금속 버튼이 부착되어 수술후 고정용 와이어나 고무를 구강외과의사가 쉽게 걸 수 있게 한다(그림 6-9). 우리 병원은 수술 시간과 장소를 기록해두어 환자가 수술 후 병실로 돌아왔을 때 받을 꽃다발을 준비해둔다. 또한 카드도 같이 보내 환자의 결정에 대한 격려를 표현한다.

수술 후 고정
수술 후 회복은 보통 6주가 걸린다. 첫째, 치열이 고정되어 있어 환자는 개폐구를 할 수 없다. 술후 고정의 목표는 골절단부의 유합이 일어날 때까지 악골의 절단부를 특정 위치에 유지하는 것이다. 나사와 플레이트를 이용하는 신기술로 고정 기간이 3~7일로 단축된다.

치열이 고정되어 있는 동안 환자는 액체류만 섭취할 수 있다. 환자는 이 기간동안 항상 구토에 대

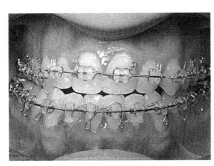

fig. 6-9 　결찰 훅을 협측 브라켓에 부착하여 구강외과의사가 수술시 고정용
　　　　 철사를 걸수 있다.

해 걱정하지만, 액체만 섭취하기 때문에 액체만이 역류한다는 사실에 안심하게 된다.

그럼에도 불구하고 환자는 보통 수술 후 1~3일 동안 지속되는 우울증을 경험한다. 그러나 첫주가 끝날 무렵 기력을 회복함에 따라 대개 환자의 태도가 어느 정도는 좋아진다.

수술 직후 기간에 환자는 전적으로 구강외과의사의 손에 달려 있다. 이 점을 수술에 앞서 마지막 술전 교정과 내원 시 환자에게 설명한다. 적절한 시기에, 구강외과의사는 검사와 필요한 술후 방사선 사진 촬영을 위해 환자를 교정병원으로 보낸다. 이를 위한 교정과 내원은 대개 수술 후 1~2주에 잡는다. 환자는 아직 부종을 보이고 대개는 좀 부정적인 기분 상태이다. 이 때 교정과의사와 직원들이 결과와 환자의 현명한 판단에 대해 칭찬해주는 것이 중요하다.

수술 후 교정

술후 교정의 목표는 이상적인 최종 교합을 얻는 것이다. 치료에서 이 부분에 소요되는 평균 기간은 약 6개월이다. 이 시기동안, 환자의 수평피개를 더욱 향상시키기 위해 필요에 따라 호선을 제거하여 확장하거나 축소시킨다. 악간 고무줄, 특히 수직 고무줄의 사용으로 최종적인 치아접촉을 얻는다. 때로는 술후 치료가 최소한으로 필요한 경우도 있고, 이 경우 환자는 술후 3개월 만에 장치를 제거할 수도 있다. 이 기간은 수술 부위의 전체적인 치유에 필요하므로 아무리 교합이 잘 맞아도 이 시기 이전에 장치를 제거하는 것은 현명하지 않다.

수술 후 재발

하악골 전방이동 수술 초창기에는 재발이 상당히 흔했는데, 특히 수직적 골격유형에서 그러했다. 그러나 구강외과의사에 의해 상악골 압하 테크닉이 발전하면서 재발의 빈도가 크게 감소했다. 오늘날, 재발은 때로는 잘못된 진단과 구강외과의사의 수술 실패의 결과이다. 재발에 영향을 미치는 다른 요소들은 비수술 증례에서도 재발을 일으키게 된다. 혀 내밀기나 구호흡과 같은 근육 문제는 술후 개방교합을 발생시킬 수 있는 조건이다. 추가적으로, 환자의 낮은 협조도 - 특히 유지장치를 잘 착용하지 않는 경우-는 재발과 관련된 흔한 문제점이다.

수술에 의한 심리적인 영향

치료에 앞서 환자의 심리적 영향에 대해 논의하는 것이 필수적인데 왜냐하면, 외모의 신체적 변화가 놀랄만한 결과를 가져올 수 있기 때문이다. 특히 상악골 수술 시 환자는 종종 자신의 "새로운 얼굴"을 상상하기 어렵다. 몇몇 증례에서 콧망울이 넓어지고, 상순은 평평해진다. 미소는 완전히 다른 모습으로 바뀐다. 어떤 환자들은 결과에 실망할 수도 있다. 이와 다르게, 하악골 전방이동에서는 부정적인 심리적 영향이 거의 없다. 환자가 전반적인 술후 관계를 예측하기 위해서는 단순히 하악을 앞으로 내밀고 거울을 들여다 봄으로써 자신의 미래 모습과 매우 유사하게 예측할 수 있다.

환자에게 가족이나 친구들이 "너 같지 않아 보여" 혹은 "예전의 너의 모습이 더 좋아"라고 말할 수 있다는 것을 알려준다. 이러한 언급은 자기자신에 대한 자신감이 부족한 부모나 형제자매에서 쉽게 나올 수 있다. 그러므로 교정과의사가 수술 후 환자를 지지하는 것이 매우 중요하다.

요약

악교정수술은 교정 치료에 변화를 가져왔다. 3차원적(수직면, 시상면, 그리고 폭경)으로 악골을 재위치시키는 구강외과의사의 능력은 성인 부정교합 치료의 새로운 지평을 열었다. 수술 과정은 해마다 지속적으로 발전하고 있으며, 악교정수술과 교정의 통합 치료의 미래는 매우 밝다.

성인의 유지 Adult retention

앞서 언급한 바와 같이 대부분의 성인 환자는 계속적인 유지가 필요할 것이다. 심한 회전이 있었거나 하악궁 확장과 하악 전치 전방이동으로 치료한 비발치 증례에서 추가적인 유지를 위해 견치간 고정성 유지장치를 각각의 전치에 부착한다. 환자에게 유지장치가 제거되면 약간의 재발이 생길 수 있다고 설명한다. 치료 전 상악 전치부에 회전이나 정중이개를 보인 증례는(그림 6-10a), 측절치간 설측유지장치를 4전치에 부착하여 회전과 공극을 예방한다(그림 6-10b). 성인 발치 증례에서, 가철성 유지장치 없이 상악 측절치간 고정성 유지장치만 부착하는 일이 없도록 한다. 만약 측절치간 고정성 유지장치만 사용하면, 전치가 전방이동하고 발치 부위가 다시 열릴 수 있다.

성인의 장기간에 걸친, 치료 후 재발 유형에 관한 자료는 충분하지 않다. 그러나 치료 후 청소년에서 나타나는 문제들에 성인이 영향받지 않는다고 가정할 근거는 없다. 저자의 임상 경험에 의하면 재발에 있어서, 특히 회전의 재발은 유지장치를 착용하지 않은 경우 청소년보다 성인에서 더 자주 발생한다. 성인에서 유지 계획은 대다수 성인 환자의 더 높은 미적인 관심을 고려해야 한다. 상하악의 고정성 설측 유지장치가 유리하고, "보이지 않기" 때문에 평생 유지의 필요성을 환자들이 더 잘

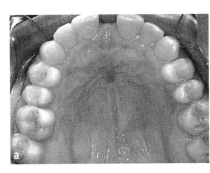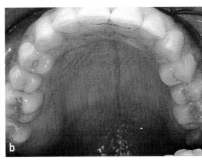

fig. 6-10 (a) 교정치료 전 정중이개를 가진 환자. (b) 정중이개 폐쇄 후 상악 측절치간 고정성 유지장치를 부착하여 공간이 다시 열리는 것을 방지한다.

수용한다.

특정 증례에서는 치료 시작부터 환자에게 평생 유지 장치의 필요성을 교육해야 한다. 특히 악궁 폭경이 확장되었거나 초기에 심한 회전을 가진 환자들의 경우 치아를 새로운 위치에 유지할 수 있는 유일한 방법은 지속적인 유지장치의 착용이다. 2~4년 간의 유지 기간 이후 고정성 유지장치는 제거될 수 있고, 가철성 상악 유지장치와 하악 전치 스프링 유지장치를 환자에게 주어 필요시 착용하게 한다. 환자의 유지기간이 끝나면 일주일에 하루 야간에 유지장치를 끼도록 한다.

증례 6-1

✚ 개요
26세 남성은 안면 정중선에 대해 턱이 좌측으로 치우친 심한 비대칭을 보였다(그림 6-11a에서 6-11j). 상악 정중선도 안면 정중선과 맞지 않아, 결과적으로 상하악 정중선 간에 8mm의 심한 부조화가 생겼다.

✚ 검사 및 진단
상악 우측 제1소구치와 하악 좌측 제1대구치의 상실을 보였다(그림 6-11j 참조). 시간이 경과함에 따라, 주변 치아들이 서서히 이동하여 발치 공간은 폐쇄되었다. 심한 정중선 부조화 뿐만 아니라, 좌우 견치 교합이 완전히 반대이다: 좌측은 2급, 우측은 3급이었다. 이러한 문제를 해소하기 위해 상실치에 맞춰 반대편 치아를 발치하기로 하였다: 하악 우측 제1대구치와 상악 좌측 제1소구치.

✚ 치료계획
치조골내로 치아를 이동시키기 위해 특별한 치료역학을 이용하였다. 좌측은 2급 역학으로, 우측은 3급 역학으로 치료하였다(그림 6-11k에서 6-11y). 72시간 동안만, 3급 고무줄을 좌측에, 2급 고무줄을 우측에 착용하였고, 발치 공간에 위치시킨 폐쇄 루프도 72시간 동안 활성화시켰다. 교정 장치 제거 후 전치부에 기능적 레진수복 치료를 수행하였다. 최종 결과는 그림. 6-11z부터 6-11mm에 있다.

✚ 평가
요즘은 많은 교정과의사가 이 문제를 해결하기 위해 교정용 미니임플란트(TADs)를 사용하는데, 이 증례는 교정용 미니임플란트의 사용없이 적절한 치료역학으로 문제를 해결하는 방법을 보여준 좋은 사례이다. 치료 후 13년 뒤, 치료 결과는 여전히 안정적이다(그림 6-11nn에서 6-11uu).

✚ 고찰
폐쇄 루프를 활성화시키면 공간 폐쇄에서 "밀고 당기기" 효과가 생긴다. 한쪽에만 2급 고무줄 힘을 적용함으로써 그 방향으로 더 많은 공간이 폐쇄되고, 따라서 정중선이 이동된다.

table 6-1 호선 순서

Archwire	Duration(months)
Maxillary	
0.016 NiTi	4
0.016 SS	7
17 × 25 SS closing loops	4
17 × 25 SS	8
Active treatment time :	23 months
Mandibular	
None	2
17 × 25 CuNiTi	3
16 × 25 SS closing loops	5
16 × 22 SS	3
17 × 25 SS	10
Active treatment time :	21 months

table 6-2 개별 힘

Force	Duration(months)
Elastics	
Class III right	6
Midline/Class II left	8
Box	2

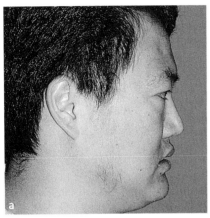
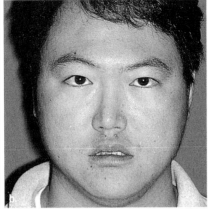
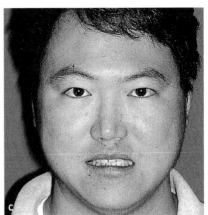

fig. 6-11 a~c   치료 전 안모사진. 턱의 비대칭성과 오목한 측모를 보인다.

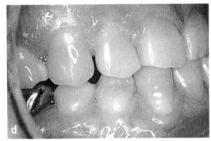
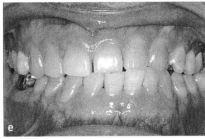
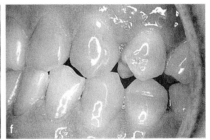

fig. 6-11 d~f   치료 전 구내사진: 구치 관계가 우측은 3급, 좌측은 2급이다.

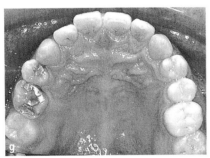
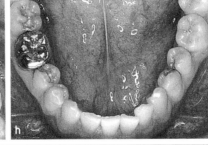
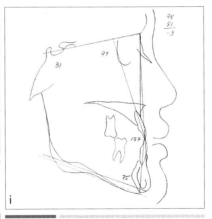

fig. 6-11 g~h   치료 전 교합면

fig. 6-11 i   치료 전 측모두부방사선 사진 트레이싱. 3급의 상악골 미발육과 하악골 전돌 보임.

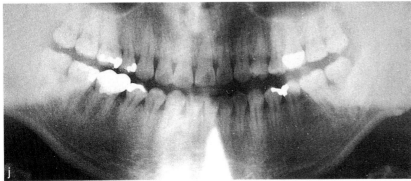

fig. 6-11 j   치료전 파노라마 사진. 하악 좌측 제1대구치와 상악 우측 제1소구치가 상실됨.

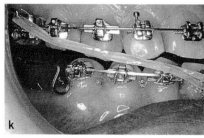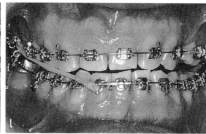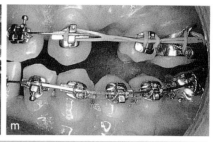

fig. 6-11 k~m   치료 4개월 구내사진: 상악은 파워체인이 있는 0.016 SS 호선, 하악은 우측에 3급 고무줄이 걸린 16 × 22 SS 폐쇄루프 호선

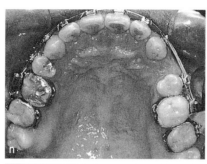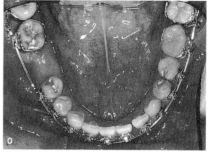

fig. 6-11 n~o   치료 4개월 교합면

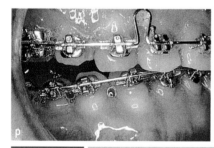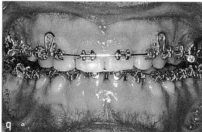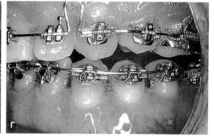

fig. 6-11 p~r   치료 13개월 구내사진: 상악 17 × 25 SS 폐쇄루프와 하악 16 × 22 SS 폐쇄루프 호선, 정중선 고무줄과 좌측 2급 고무줄 사용

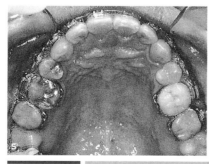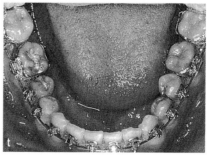

fig. 6-11 s~t   치료 13개월 교합면

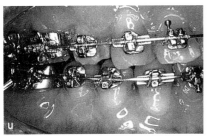
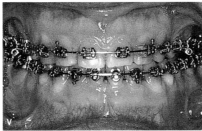
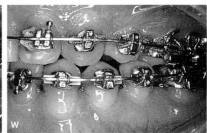

fig. 6-11 u~w   치료 20개월 구내사진: 상하악 17 × 25 SS 호선

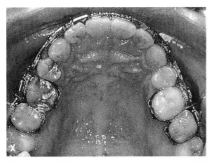
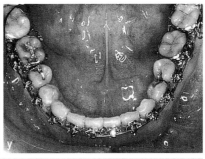

fig. 6-11 x~y   치료 20개월 교합면

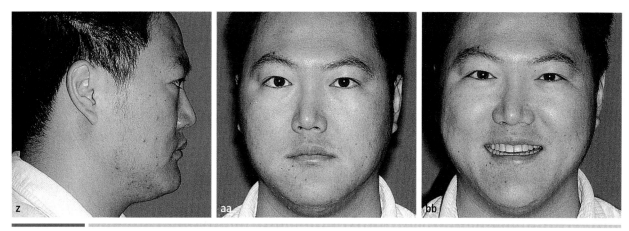

fig. 6-11 z~bb   26개월 간의 치료후 최종 안모사진

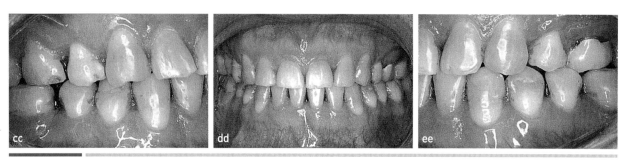

fig. 6-11 cc~ee   최종 구내사진

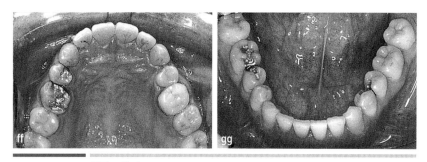

fig. 6-11 ff~gg   최종 교합면

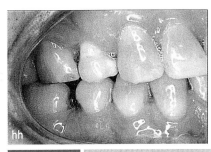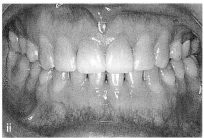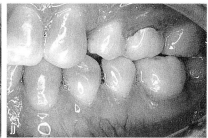

fig. 6-11 hh~jj 심미 레진수복 후 구내사진

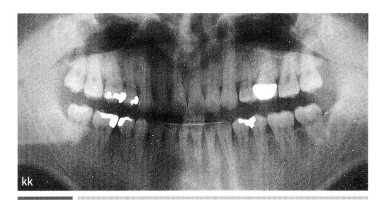

fig. 6-11 kk 치료 후 파노라마 사진

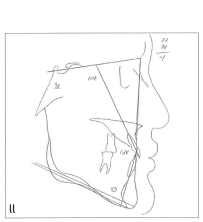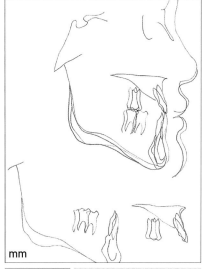

fig. 6-11 ll 치료 후 측모두부방사선 사진   fig. 6-11 mm 중첩된 트레이싱
트레이싱

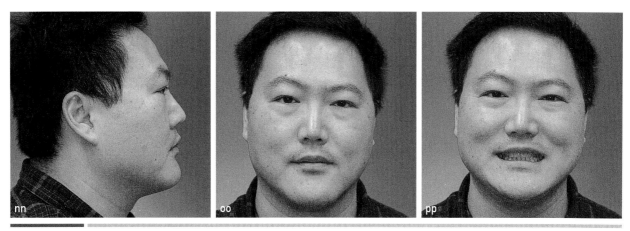

fig. 6-11 nn~pp 치료 후 13년 뒤 안모사진

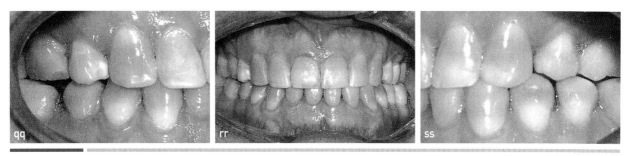

fig. 6-11 qq~ss 치료 후 13년 뒤 구내사진

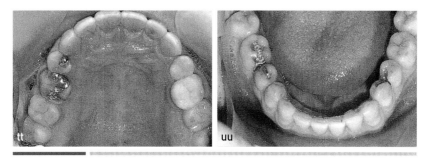

fig. 6-11 tt~uu 치료 후 13년 뒤 교합면 (Dr. J. Moody Alexander가 치료한 증례)

증례 6-2

✛ 개요

43세의 여성은 상하악 다수의 치아상실, 4mm 수직피개, 골격성 1급 교합, 그리고 심하게 함몰된 측모를 가지고 있었다(그림 6–12a에서 6–12j). 이런 환자를 치료해 본 경험이 없었기 때문에, 결과를 예측하기 어려웠다.

✛ 검사 및 진단

환자가 성형수술(턱끝과 코의 재건술)을 거부하였기 때문에 상하악 전치를 전방이동하여 임플란트나 브릿지를 위한 공간을 만드는 "엉성한" 방법으로 치료하기로 했다. 치주과 진료로 3개월에 1회의 예방진료와 초기에 회전되어 있던 치아들은 교정치료 후 치주인대섬유절제술을 시행하기로 하였다.

✛ 치료계획

초기에 상악궁에 SS 오픈코일 스프링을 사용하여 상실된 측절치를 위한 공간을 얻었다(그림 6–12k에서 6–12n). IMPA(하악평면에 대한 하악전치각)는 증가시키고, 하악 좌측 제2대구치를 직립시켜 구치부 브릿지나 임플란트를 위한 공간을 형성하였다(그림 6–12o에서 6–12s). 환자에게 평생 동안 유지장치가 필요할 것이라고 설명했다. 최종 결과는 그림. 6–12t부터 6–12dd에 나와 있다.

✛ 평가

치료 후 25년 뒤 환자는 70세가 되었다(그림 6–12ee에서 6–12nn). 상악 유지장치는 더 이상 착용하지 않으며, 견치간 고정성 유지장치는 수년 전에 제거되었다(그림 6–12ll 참조). 영구치의 변색이 뚜렷하게 보임(그림 6–12hh에서 6–12jj 참조).

✛ 고찰

과개교합을 가진 수평적 골격유형을 치료할 때 IMPA는 증가되어야 한다. 환자에서 보듯이, 이러한 변화로 연조직 측모가 개선되었다.

table 6-3 호선 순서

Archwire	Duration(months)
Maxillary	
0.016 NiTi	3
0.016 SS (coils)	5
16 × 22 NiTi	7
17 × 25 SS	12
Active treatment time :	27 months
Mandibular	
None	5
0.0175 multistrand	3
16 × 25 NiTi	2
0.016 SS	5
17 × 25 SS	12
Active treatment time :	22 months

table 6-4 개별 힘

Force	Duration(months)
Coil springs	4
Elastics	
Class II	6
Midline/Class II left	3
Finishing	1

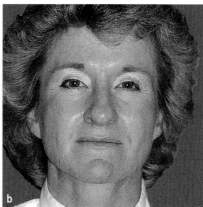
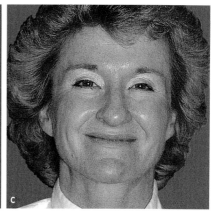

fig. 6-12 a~c 치료 전 안모사진

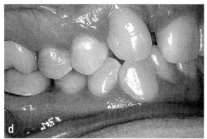
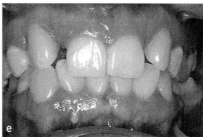
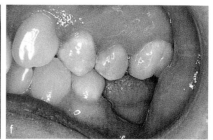

fig. 6-12 d~f 치료 전 구내사진. 상악 측절치가 상실되었고, 수직피개는 4mm, 수평피개는 1.5mm이다.

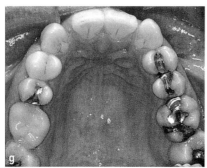
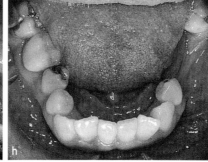

fig. 6-12 g~h 치료 전 교합면

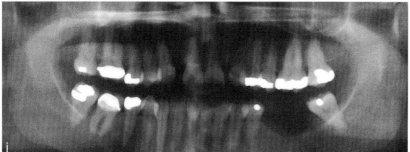

fig. 6-12 i 치료 전 측모두부방사선 사진 트레
이싱

fig. 6-12 j 치료 전 파노라마 사진

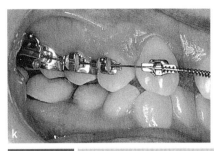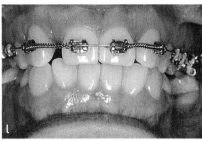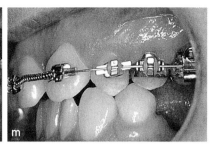

fig. 6-12 k~m   치료 3개월 구내사진: 상악 코일스프링이 있는 0.016 SS 호선

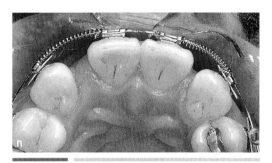

fig. 6-12 n   치료 3개월 상악궁

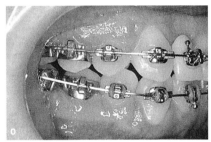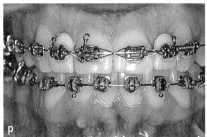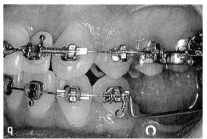

fig. 6-12 o~q   치료 17개월 구내사진: 상하악 17 × 25 SS 호선

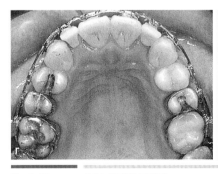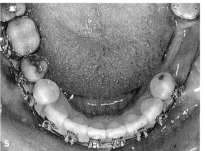

fig. 6-12 r~s   치료 17개월 교합면

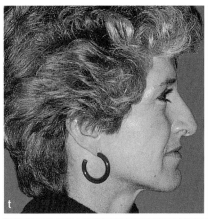

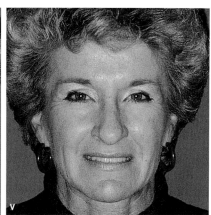

fig. 6-12 t~v   27개월 간의 치료 후 최종 안모사진

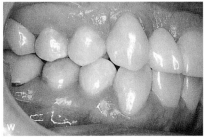
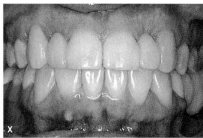
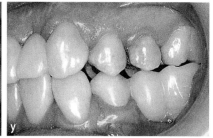

fig. 6-12 w~y   최종 구내사진, 하악 좌측부에 임시브릿지가 보인다.

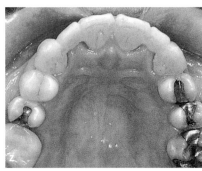

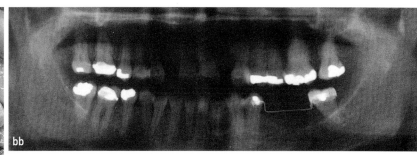

fig. 6-12 bb   치료 후 파노라마 사진

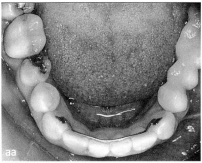

fig. 6-12 z~aa   최종 교합면

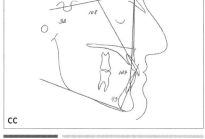
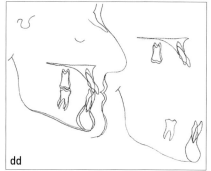

fig. 6-12 cc   치료 후 측모두부방사선 사진   fig. 6-12 dd 중첩된 트레이싱
트레 이싱

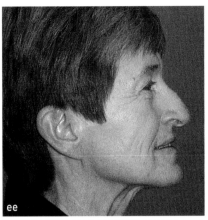
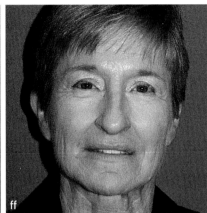

fig. 6-12 ee~gg 치료 후 25년 뒤 안모사진

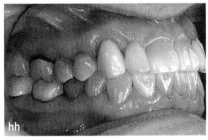
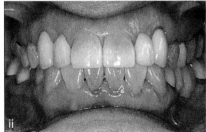
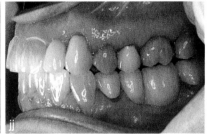

fig. 6-12 hh~jj 치료 후 25년 뒤 구내사진

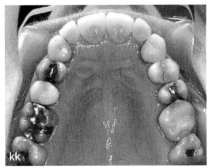
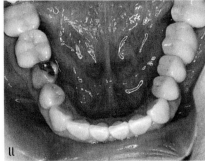
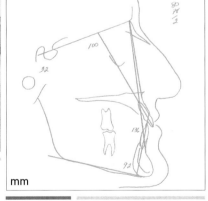

fig. 6-12 kk~ll 치료 후 25년 뒤 교합면. 하악 견치간 고정성 유지장치는 제거됨

fig. 6-12 mm 치료 후 25년 뒤 측모두부방 사선 사진 트레이싱

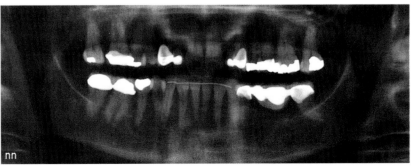

fig. 6-12 nn 치료 후 25년 뒤 파노라마 사진

증례 6-3

✚ 개요

47세 여성으로 2급 아류 부정교합을 보인다(그림 6–13a에서 6–13j). 하악에는 중등도의, 상악에는 심한 총생이 있다(그림 6–13g와 6–13h 참조).

✚ 검사 및 진단

우측의 2급 구치 교합과 좌측의 1급 교합으로 인해 상악 우측 견치부에 심한 총생이 있다.

✚ 치료계획

치료 계획으로 상악 우측 제1소구치만 편측 발치하기로 하였다. 우측 제1대구치는 2급 관계로 유지하면서 우측 견치를 1급 관계로 후방견인하였다(그림 6–13k에서 6–13o). 상하악 모두에서 전치부 치간법랑질 삭제를 시행하였다. 치아 중심선을 안면 정중선과 일치시켰다. 최종 결과는 그림. 6–13p부터 6–13z에 있다.

✚ 평가

구치부 교합은 비대칭적이나 균형을 이루며 기능적이다. 이는 측두하악관절에 대한 악영향 없이 교합의 안정성을 얻은 좋은 사례이다. 그림. 6–13aa부터 6–13hh는 치료 후 7년 뒤의 경과 관찰에서 안모, 구내 그리고 교합면을 보여준다.

✚ 고찰

거의 대부분의 성인 환자에서, 하악 전치부의 평생 유지(3 × 3)가 추천된다(치료 후 7년 뒤 견치간 고정성 유지장치가 계속 부착된 것에 주목하라 [그림 6–13hh 참조]). 신경치료로 이후 하악 전치의 변색이 예상되며, 이를 환자에게 알려주어야 한다. 중첩된 상악 전치가 있는 나이든 환자에서 언제라도 치아의 회전이 교정되면 이 치아들 사이에 "블랙트라이앵글"이 생기게 될 것이다. 이러한 심미적인 문제는 치간인접면법랑질 삭제 혹은 심미 레진수복으로 개선될 수 있다. 동일한 상황이 치료를 위해 하악 전치를 발치한 경우에도 생길 수 있다. 상악 제1소구치를 발치하고 하악은 비발치로 치료할 때 반드시 소구치의 크기를 고려해야 한다. 종종 상악 제1소구치가 제2소구치보다 근원심으로 약간 더 크다; 따라서, 제1소구치를 발치할 때 작은 제2소구치가 발치 공간을 완전히 폐쇄하지 못할 수 있다. 환자는 모든 장치가 제거된 후 발치부위에 약간의 공간이 남을 수 있다는 것을 이해해야 한다.

table 6-5 호선 순서

Archwire	Duration(months)
Maxillary	
0.016 NiTi	2
0.016 SS	8
17 × 25 TMA	1
17 × 25 SS	8
Active treatment time :	19 months
Mandibular	
None	3
17 × 25 CuNiTi	3
16 × 22 SS	6
17 × 25 SS	7
Active treatment time :	16 months

table 6-6 개별 힘

Force	Duration(months)
Power chain on the maxillary right canine	6
Elastics	
Class II right	7
Class II	3
Finishing	2

* *Interproximal enamel reduction was performed on the maxillary and mandibular anterior teeth.*

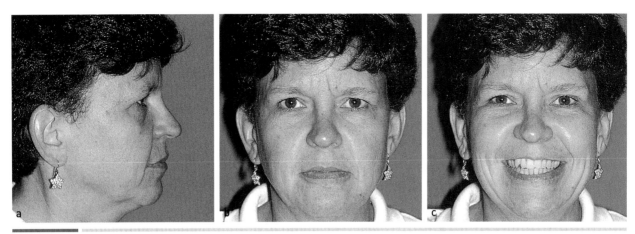

fig. 6-13 a~c   치료 전 안모사진

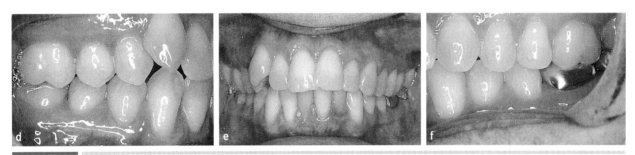

fig. 6-13 d~f   치료 전 구내사진. 구치 관계는 우측이 2급, 좌측은 1급이다. 수평피개는 4mm, 수직피개는 2mm이다.

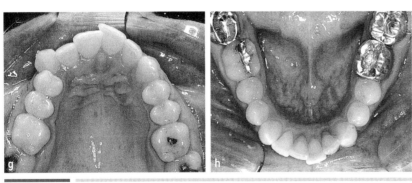

fig. 6-13 g~h   치료 전 교합면

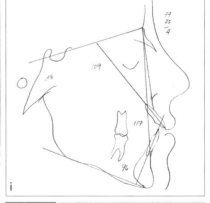

fig. 6-13 i   치료 전 측모두부방사선 사진 트레이싱

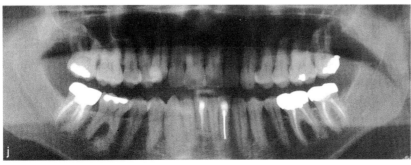

fig. 6-13 j   치료 전 파노라마 사진

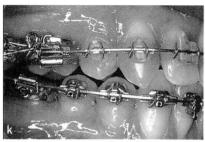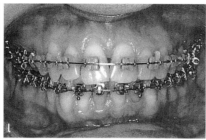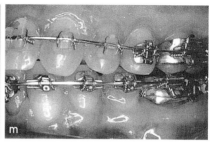

fig. 6-13 k~m 치료 16개월 구내사진: 17 × 25 SS 호선

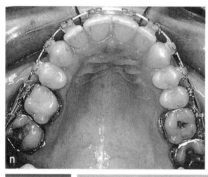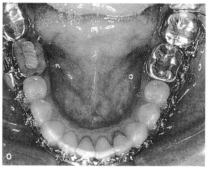

fig. 6-13 n~o 치료 16개월 교합면

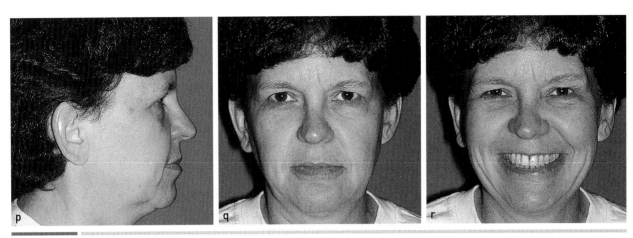

fig. 6-13 p~r 19개월 간의 치료 후 최종 안모사진

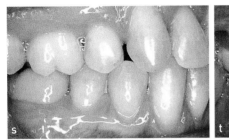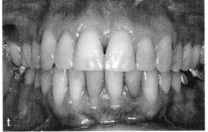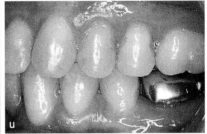

fig. 6-13 s~u 최종 구내사진

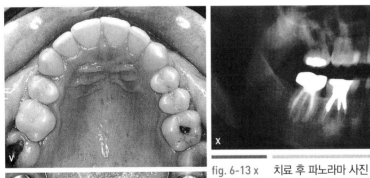

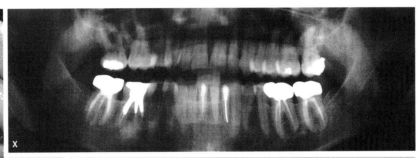

fig. 6-13 x 치료 후 파노라마 사진

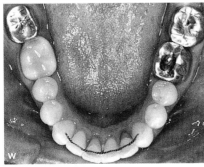

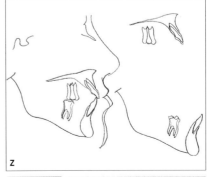

fig. 6-13 v~w 최종 교합면

fig. 6-13 y 치료 후 측모두부방사선 사진
트레이싱

fig. 6-13 z 중첩된 트레이싱

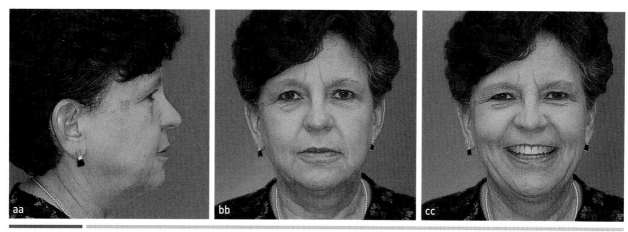

fig. 6-13 aa~cc   치료 후 7년 뒤 안모사진

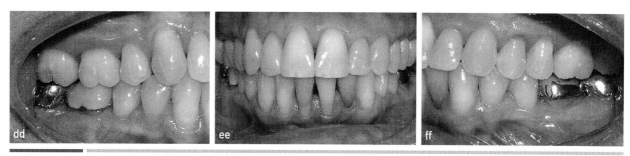

fig. 6-13 dd~ff   치료 후 7년 뒤 구내사진

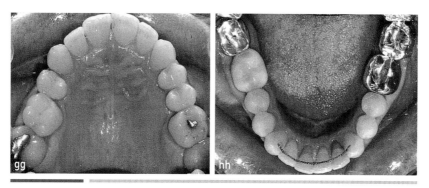

fig. 6-13 gg~hh   치료 후 7년 뒤 교합면

The Alexander Discipline

Unusual and Difficult Cases

Chapter 07
비전형적인 발치

The Alexander Discipline Unusual and Difficult Cases

07 비전형적인 발치
Atypical Extractions

"Choice, not chance, determines destiny."
운명을 결정하는 것은 우연이 아니라, 선택이다.

— Aristotle

교정치료 계획의 수립은 치아 발치 여부에 관한 문제가 아니다. 그것은 치료 종료 시점에서 가장 안정적이고 심미적인 장기간의 결과를 제공할 치아의 위치에 관한 문제이다. 이 시리즈의 1권과 2권에서 발치와 비발치 치료의 다양한 적응증의 개요를 설명하였다. 이 책의 3장에서도 발치 또는 비발치 결정을 내려야 했던 경계선 증례를 설명하고 있다. 이 장에 나오는 증례들에서는 비전형적인 발치에 관해 집중적으로 다룬다.

한 개의 하악전치 발치 Single Mandibular Incisor Extraction

특정 조건 하에서 하나의 하악 전치만 발치하는 것을 치료계획으로 선택하게 된다. 이러한 조건들은 다음과 같다:

- 심한 하악 전치부 악궁길이 부족 (예, 총생)
- 골격성 혹은 치성 3급 경향
- 크기가 작은 상악 전치 (특히 측절치)
- 전방 경사된 하악 전치 (3급이 아닌 경우)

이러한 조건들 중 하나에 해당될 때 한 개의 하악 전치 발치로 긍정적인 결과를 기대할 수 있다. 그러나 나이든 환자에서 자연적인 치조골 소실로 인해 "블랙트라이앵글"이 발치 부위에 생길 수 있고(그림 7-1), 이로 인해 심미적인 결과가 저하시킨다.

치료 목표

한 개의 하악 전치 발치의 치료 목표는 다음과 같다:
- 정상적인 수직피개/수평피개
- 정상적인 견치 기능
- "과수정된" 1급 교합

치료 역학

하악 전치부의 브라켓 부착
3개의 하악 전치만 있을 때 중앙 전치는 0°의 각도를 가진다. 나머지 전치들은 4°의 경사를 준다. 견치와 다른 치아는 정상적인 각도로 위치된다.

호선 순서
전치 발치로 생긴 공간으로 인해 초기 토크 조절은 크게 중요하지 않으므로, 처음부터 원형의 탄성 호선을 사용할 수 있다.

2급 고무줄
17 × 25 SS 최종 호선을 상하악 모두에 적용한 후 1급 견치와 구치 관계가 되게 "과수정"하기 위해 강한 2급 고무줄의 사용이 필요할 수 있다.

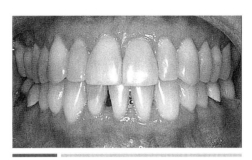

fig. 7-1 한 개의 하악 중절치 발치로 생긴 블랙
트라이앵글

편측성 소구치 발치 Unilateral Premolar Extraction

이 술식은 환자가 다음의 조건들 중 하나를 가진 경우 고려할 수 있다:

- 2급 아류와 심한 정중선 부조화를 가진 성장이 종료되었거나 비협조적인 환자
- 1급이나 2급 아류(subdivision) 부정교합
- 편위된 정중선

치료 목표

편측성 소구치 발치의 치료 목표는 균형잡힌 안모와 치아 정중선을 얻는 것이다.

치료 역학

소구치가 발치된 쪽에서 상악 견치는 후방견인하고 편측성 상악 17 × 25 폐쇄루프를 사용하여, 4~5주에 한 번 1mm씩 활성화시킨다. 편측성 근심설측/ 2급 고무줄을 72시간 동안 사용하여 상악 정중선이 적절한 위치로 이동되게 한다. 상악 구치를 특별하게 회전시켜야 한다는 것을 기억해야 한다: 비발치 쪽은 1급이 되게 근심협측으로 회전되고 발치 쪽은 2급이 되게 원심협측으로 회전된다.

대구치 발치 Molar Extraction

대구치 발치의 적응증은 환자가 다음 조건 중 하나에 해당되는 경우이다:
- 치료가 불가능한 구치가 있을 때
- 반대편 구치가 상실되어 있을 때
- 발치될 구치를 대체할 제3대구치가 있을 때

치료 목표

대구치 발치의 치료 목표는 악궁에서의 균형은 유지하면서 기능하지 못하는 치아를 제거하고 임플란트 수복 대신 기능적인 치아로 대체하는 것이다.

치료 역학

편측 소구치 발치에서 설명한 바와 같이, 대구치 발치 치료역학은 폐쇄루프 호선과 특정 악간고무줄을 사용한다.

증례 7-1

✚ 개요
25세 여성은 전악 교정 장치와 비발치로 치료받던 중 1987년에 우리 병원으로 의뢰되었다 (그림. 7-2a에서 7-2j). 이 증례는 교정치료에 의해 돌출된 상하악 측모가 형성된 단적인 사례이다.

✚ 검사 및 진단
이 환자를 비발치로 치료하려는 시도로 인해 심하게 볼록한 양악 전돌이 야기되었다. 환자가 우리 병원에 왔을 때는 18개월 간 교정치료 진행 중이었다.

✚ 치료계획
치료 계획은 상하악 제1소구치를 발치하고, 최적의 브라켓 위치를 얻기 위해 교정 장치를 재부착하고, 최대 고정원을 적용하는 것이다(헤드기어와 3급 고무의 병용) (그림 7-2k에서 7-2x). 이번 치료의 결과가 만족스럽지 못하면 악교정 수술을 고려했을 것이다: 상악골 압하, 하악골 절제, 턱끝성형술(maxillary impaction, mandibular resection, augmentation genioplasty).

✚ 평가
치료 전 진단 기록은 없었지만 측모를 개선하기 위해 발치가 필요했음이 분명해 보였다. 증례가 심각하여 치료 23개월에 상악골 압하, 하악골 절제, 턱끝성형술을 시행하기로 결정하였다(그림 7-2y에서 7-2dd). 최종 결과는 그림 7-2ee부터 7-2oo 에 있다.

✚ 고찰
이 증례는 특정 환자에서 발치치료가 필요함을 보여주는 좋은 예이다. 이 환자는 성인이었기 때문에 공간을 얻을 수 있는 잠재적인 성장이 남아 있지 않았고, 따라서 치료 초기부터 발치를 시행했더라도 수술이 필요했을 수 있다.

table 7-1 호선 순서

Archwire	Duration(months)
Maxillary	
0.0125 multistrand	1
0.016 SS	9
18 × 25 SS closing loops	4
16 × 22 SS	2
17 × 25 SS	13
Active treatment time :	29 months
Mandibular	
16 × 22 multistrand	2
16 × 22 SS closing loops	5
16 × 22 SS	3
17 × 25 SS	16
Active treatment time :	26 months

table 7-2 개별 힘

Force	Duration(months)
Combination facebow	9
*Maxillofacial surgery**	11
Elastics	
Midline/Class II left	4
Crossbite	1
Finishing	1

Including maxillary impaction, mandibular resection, and augmentation genioplasty.

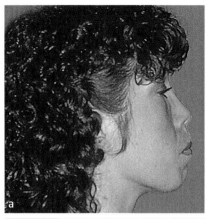
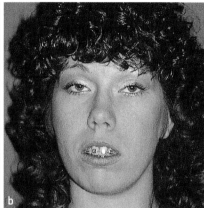
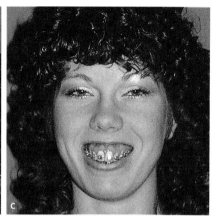

fig. 7-2 a~c 치료 전 안모사진

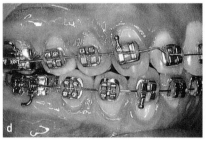
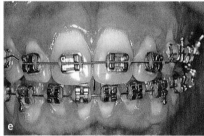
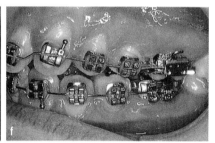

fig. 7-2 d~f 치료 전 구내사진

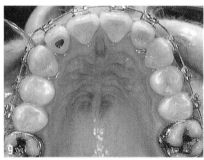
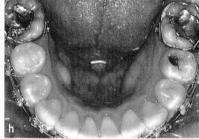

fig. 7-2 g~h 치료 전 교합면

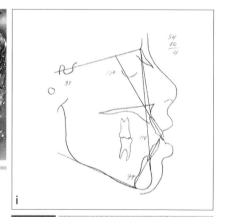

fig. 7-2 i 치료 전 측모두부방사선 사진 트레이싱

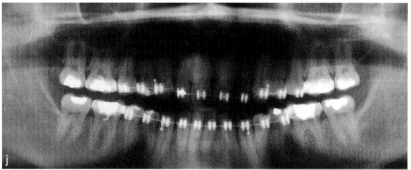

fig. 7-2 j 치료 전 파노라마 사진

fig. 7-2 k   헤드기어 착용

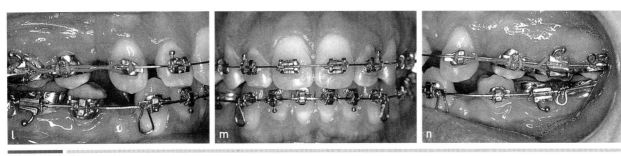

fig. 7-2 l~n   치료 5개월 구내사진, 파워체인으로 상악 견치를 후방견인함: 하악 16 × 22 SS 폐쇄루프 호선

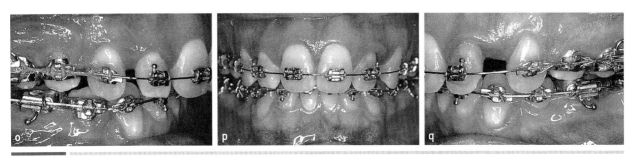

fig. 7-2 o~q 치료 9개월 구내사진: 상악 0.016 SS 호선과 하악 16 × 22 SS 호선

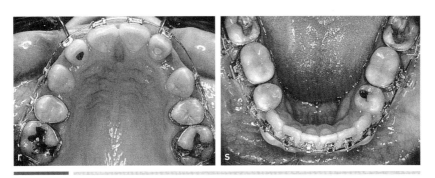

fig. 7-2 r~s 치료 9개월 교합면

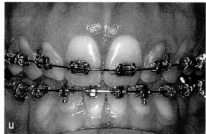

fig. 7-2 t~v   치료 14개월 구내사진: 상악 16 × 22 SS 호선과 하악 17 × 25 SS호선

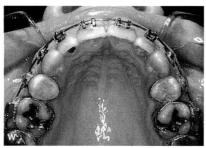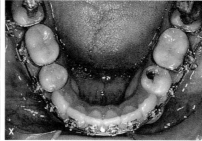

fig. 7-2 w~x   치료 14개월 교합면

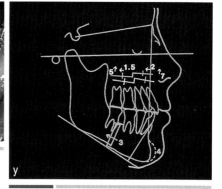

fig. 7-2 y   수술 전 트레이싱 예측

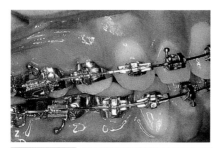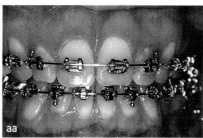

fig. 7-2 z~bb   치료 23개월 구내사진. 상악골 압하, 하악골 절제, 그리고 턱끝성형술을 시행 후

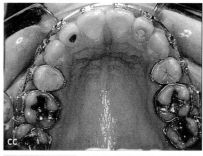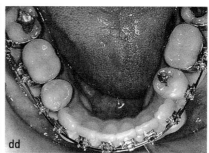

fig. 7-2 cc~dd   치료 23개월 교합면

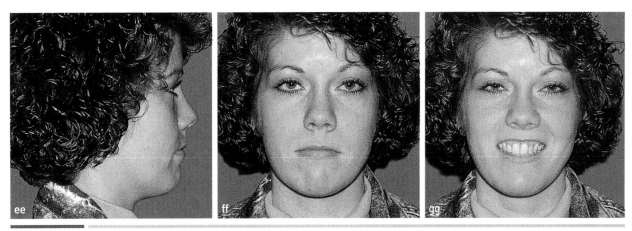

fig. 7-2 ee~gg   29개월 간의 치료 후 최종 안모사진

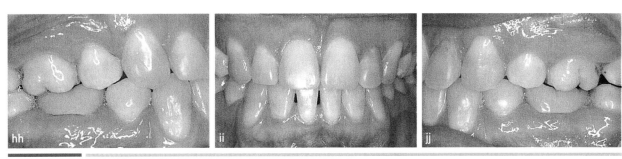

fig. 7-2 hh~jj   최종 구내사진

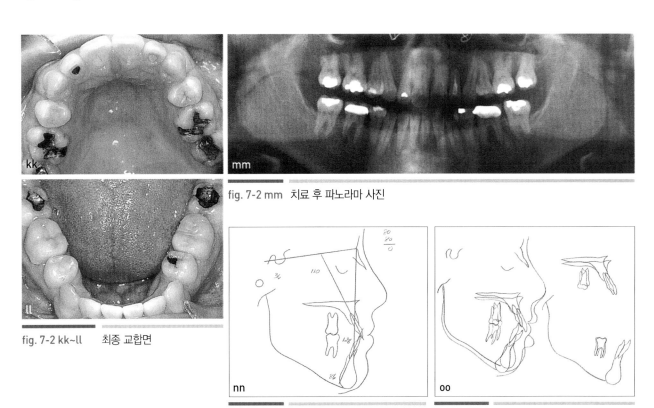

fig. 7-2 mm 치료 후 파노라마 사진

fig. 7-2 kk~ll   최종 교합면

fig. 7-2 nn   치료 후 측모두부방사선 사진   fig. 7-2 oo   중첩된 트레이싱
트레이싱

증례 7-2

✚ 개요
이 증례는 세가지의 흥미로운 주제를 가지고 있다: (1) 3급 경향 성인환자의 절충된 치료, (2) 비전형적인 발치유형, (3) 심미 치과치료.

✚ 검사 및 진단
42세 여성으로 골격성 3급 경향을 보였다(그림 7-3a에서 7-3j); 환자는 수술에 관심이 없었다. 전방부에 3mm의 전치부 반대 교합(즉, 거꾸로 물림)이 있었다. 하악 측절치에 치은 퇴축이 보이고, 상악 측절치의 크기가 작다.

✚ 치료계획
환자가 악안면 수술을 원하지 않아서 하악 우측 중절치를 발치하고, 0.016 SS 호선에 파워체인을 사용해 발치 공간을 폐쇄하기로 결정하였다(활주역학 사용). 장기간 안정성을 얻기 3개의 하악 전치에 브라켓을 특별하게 위치시켰다.

✚ 평가
하악궁의 공간은 8개월만에 닫혔다. 총 치료 기간은 19개월이었다(그림 7-3k에서 7-3t). 연조직 변화는 미미하나 긍정적이었고, 전치부 및 구치부 교합도 개선되었다. 전치부 치근이 잘 배열되었고, 심미 레진치료로 하악궁의 블랙트라이앵글 문제를 해소하였다(그림 7-3u와 7-3v). 2년 뒤, 안정적인 결과를 보여준다(그림 7-3w에서 7-3dd).

✚ 고찰
이 환자는 한 개의 하악 전치 발치에 이상적인 증례였다. 또, 이러한 치료로 블랙트라이앵글이 생긴다는 것을 잘 보여준다. 따라서 이와 유사한 치료를 시행할 때 예상되는 문제를 항상 환자에게 설명해야 한다.

table 7-3 호선 순서

Archwire	Duration(months)
Maxillary	
0.016 NiTi	2
0.016 SS	3
17 × 25 SS	14
Active treatment time :	19 months
Mandibular	
None	2
0.016 NiTi	2
0.016 SS	2
17 × 25 TMA	3
17 × 25 SS	10
Active treatment time :	17 months

table 7-4 개별 힘

Force	Duration(months)
Elastics	
Class II right	2
Midline	2
Anterior box	3
Crossbite	1
W with a tail	1

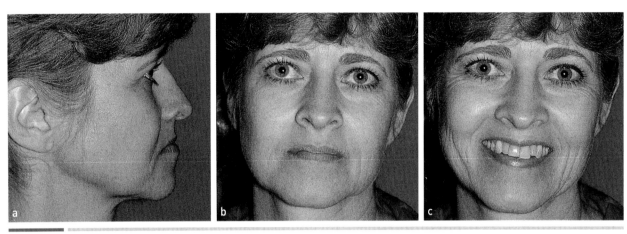

fig. 7-3 a~c 치료 전 안모사진

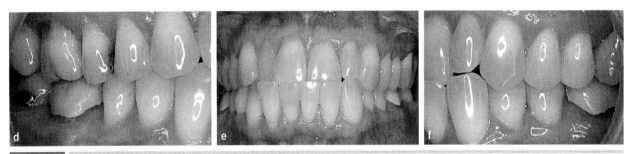

fig. 7-3 d~f 치료 전 구내사진. 환자는 1급 구치 관계, 3mm의 수직피개, 1mm의 수평피개, 그리고 전치부 반대교합을 가지고 있다.

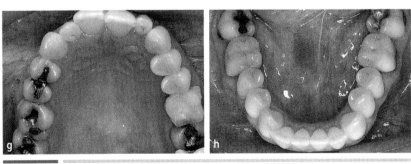

fig. 7-3 g~h 치료 전 교합면

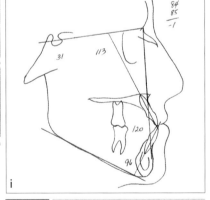

fig. 7-3 i 치료 전 측모두부방사선 사진에서 골격성 3급 경향을 볼 수 있다.

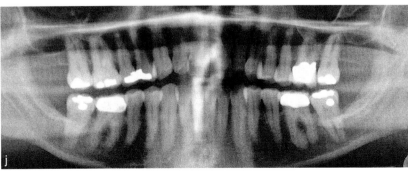

fig. 7-3 j 치료 전 파노라마 사진

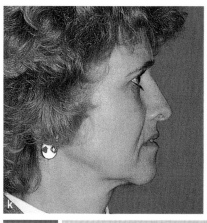
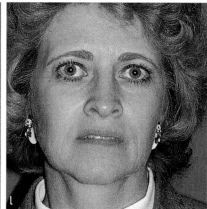

fig. 7-3 k~m 19개월 간의 치료후 최종 안모사진

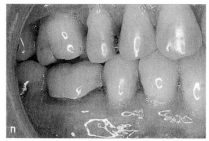
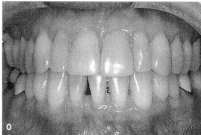
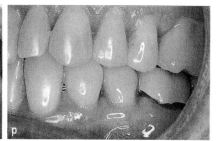

fig. 7-3 n~p 최종 구내사진

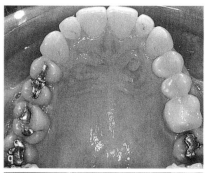
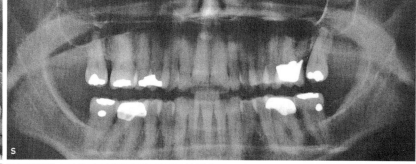

fig. 7-3 s   치료 후 파노라마 사진

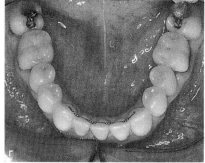

fig.7-3 q~r   최종 교합면

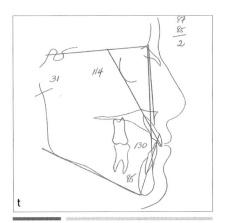

fig. 7-3 t   치료 후 측모두부방사선 사진
          트레이싱

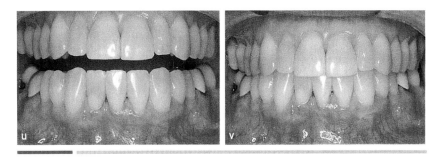

fig. 7-3 u~v 블랙트라이앵글을 해결하기 위한 심미 레진치료, 치료 후 2개월 뒤

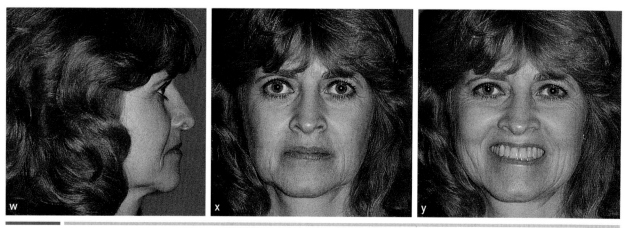

fig. 7-3 w~y 치료 후 2년 뒤 안모사진

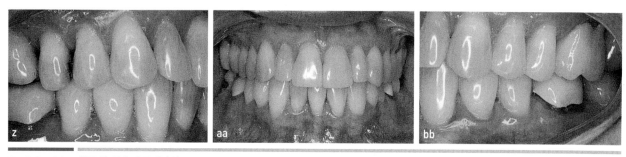

fig. 7-3 z~bb   치료 후 2년 뒤 구내사진

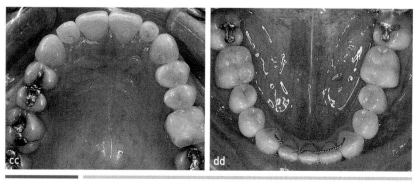

fig. 7-3 cc~dd   치료 후 2년 뒤 교합면

증례 7-3

✚ 개요
일상적인 손가락 빨기의 일상적인 습관을 가진 9세 소녀는 2급 아류 교합으로 인해 정중선 편위, 2급 구치 관계, 그리고 좌측에 반대교합을 가지고 있다(그림 7-4a에서 7-4j). 이 환자는 발치 치료가 여전히 지배적이었던 1969년에 치료받았다. 브라켓이 아닌 전악 밴드를 부착하였다.

✚ 검사 및 진단
환자가 손가락 빨기를 중단하고 소구치와 영구 견치가 맹출할 때까지 동적 치료를 4년간 연기하였다.

✚ 치료계획
4개의 제1소구치를 발치하고, 환자는 4개월동안 경부 페이스보우를 착용하였다. 페이스보우를 중단한 후, 2급 고무줄을 걸었다. 상악 전치가 치료로 잘 조절되지 않았다; 그러나 장기안정성에는 부정적인 영향을 미치지 않았다.

✚ 평가
상악 구치간 폭경이 28mm에서 32mm로 변화하였다. 이때는 RPE를 사용하기 이전 시기였고, 따라서 호선과 헤드기어 내측 보우 확장으로 악궁을 확장해야 했다. 최종 결과는 그림. 7-4k부터 7-4u에 나온다.

✚ 고찰
38년이나 지난 뒤, 증령에 따라 치아는 변색되었지만, 연조직 측모는 균형을 이루고 있었다(그림 7-4 v에서 7-4ee). 저자는 더 함몰된 측모를 예상했었다. 최근이라면 이 환자를 횡적 급속구개확장을 이용한 비발치로 치료했을 것이다. 그러나 환자의 최종 장기간 결과를 보면 치열이나 안모에서 흠을 잡기는 어렵다.

table 7-5 호선 순서

Archwire	Duration(months)
Maxillary	
0.0175 multistrand	1
0.016 SS	12
17 × 25 SS closing loop	5
17 × 25 SS	4
Active treatment time :	22 months
Mandibular	
0.0175 multistrand	6
0.016 SS	6
16 × 22 SS closing loop	6
17 × 25 SS	4
Active treatment time :	22 months

table 7-6 개별 힘

Force	Duration(months)
Elastics*	
Class III	3
Class II	8

* Finishing elastics had not been brought to the market yet.

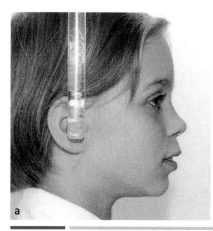
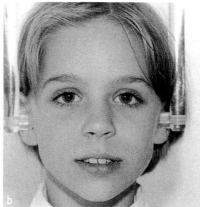
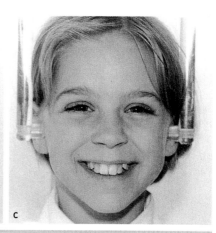

fig. 7-4 a~c 치료 전 안모사진

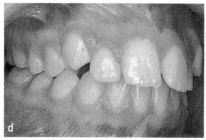
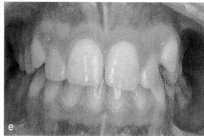
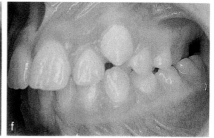

fig. 7-4 d~f 치료 전 구내사진. 수직피개 3mm, 수평피개 5mm, 그리고 좌측 제1대구치에 반대교합이 있다.

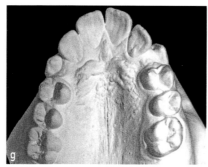
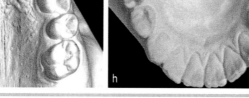

fig. 7-4 g~h 치료 전 교합면

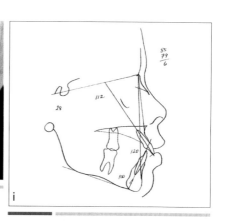

fig. 7-4 i 치료 전 측모두부방사선 사진 트레이싱

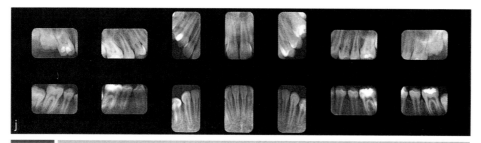

fig. 7-4 j 치료 전 치근단방사선 사진

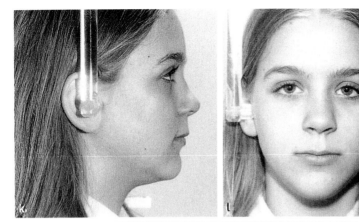
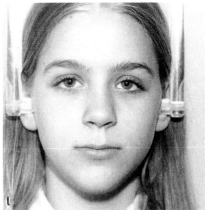
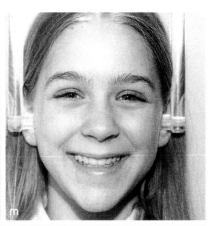

fig. 7-4 k~m 22개월간의 치료 후 최종 안모사진

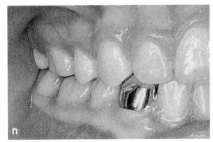
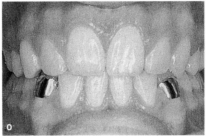
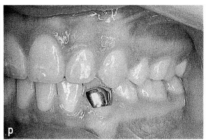

fig. 7-4 n~p 최종 구내사진

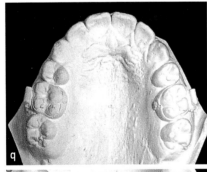

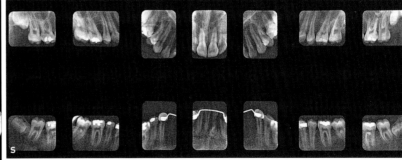

fig. 7-4 s 치료 후 치근단방사선 사진

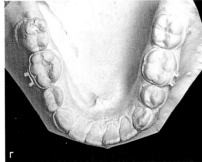

fig.7-4 q~r 최종 교합면

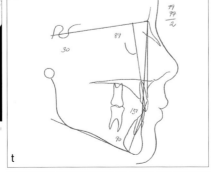
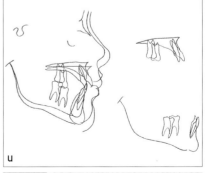

fig. 7-4 t 치료 후 측모두부방사선 사진 트레이싱 fig. 7-4 u 중첩된 트레이싱

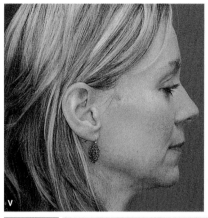

fig. 7-4 v~x 치료 후 38년 뒤 안모사진

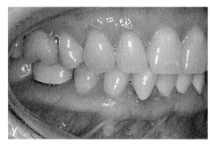
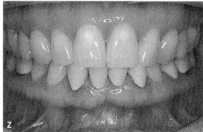
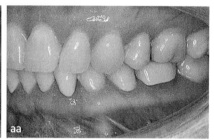

fig. 7-4 y~aa 치료 후 38년 뒤 구내사진

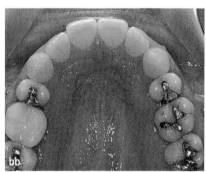
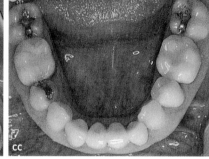

fig. 7-4 bb~cc 치료 후 38년 뒤 교합면

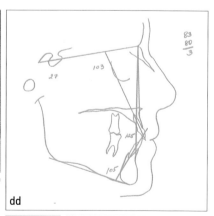

fig. 7-4 dd 치료 후 38년 뒤 측모두부방사선
사진 트레이싱

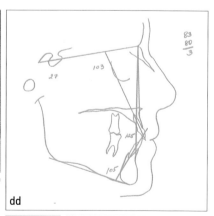

fig. 7-4 ee 치료 후 38년 뒤 파노라마 사진

The Alexander Discipline

Unusual and Difficult Cases

Chapter 08
매복, 변위, 상실된 치아

The Alexander Discipline
Unusual and Difficult
Cases

08 매복, 변위, 상실된 치아
Impacted, Transposed, and Missing Teeth

"The difference between ordinary and extraordinary is that little extra."
평범과 비범의 차이는 사소한 것에서 나온다.

— Jimmy Johnson

　많은 부정교합의 경우에서 교정 치료계획 수립은 대개 일반적인 과정이다. 각 환자는 모두 다르지만, 동일한 기본적인 진단 도구와 테크닉이 대부분의 증례들에서 사용된다. 하지만 때로는 환자가 다른 치료법이 요구되는 문제점을 가진 경우가 있다. 이러한 특별한 조건에는 매복 견치, 변위된 치아 그리고 선천 결손이나 치아 형태이상이 있다.

매복 견치 Impacted Canines

상악의 매복치는 하악에서보다 더 흔하며 다루기는 덜 어렵다. 환자가 매복 견치를 가진 경우 예후에 관해 신중한 태도를 취해야 한다. 매복치의 이동을 시도할 때 발생가능한 문제들, 즉 치주적 문제, 재발, 또는 치아 상실의 가능성까지 환자에게 설명해야 한다. 어떠한 교정적 이동을 시도하기 전에 반드시 환자가 이러한 위험성을 이해해야 하고, 사전동의서에 서명하도록 한다(그림 8-1).

진단과 예후

파노라마와 교합면 방사선 사진을 참고하여 진단한다. 구개측에 매복된 견치의 예후는 다음의 요인에 달려있다:

- 해당 치아의 위치
- 치아의 근원심 각도
- 치아가 이동할 거리
- 골과의 유착 여부

치아의 치근첨이 정상 위치에 가깝다면, 성공률이 높아진다. 수평 매복의 예후가 가장 좋지 않다. 매복치(정상 맹출되지 않은 치아)의 이동을 시도할 때, 특히 견치와 제3대구치(사랑니)에서 여러 가지의 문제점들이 생길 수 있고, 이로 인해 치주적 문제, 재발 또는 치아 상실이 발생할 수 있다.

치료 목표

치료 목표는 기능적 교합을 이루도록 매복치를 이동시키는 것이다. 매복치를 노출시키고 이동하는 것은 통상적인 교정치료에 대개 6~10개월의 치료 기간이 더해지고, 이는 치아의 원래 위치에 따라 다르다.

외과적 노출법

나이든 환자의 경우 매복치의 즉각적인 노출이 필요하다. 치주과의사에게 의뢰하여 구개측에 매복된 견치를 노출시킨다. 담당 치주과의사는 다음의 조건들을 확실하게 이해해야 한다:

- 치관 주변의 조직과 골만 제거한다.
- 견치의 법랑-백악경계 너머까지 조직이 제거되면 안 된다. 치관은 노출 후 개방된 상태로 유지한다.

매복치(정상 맹출되지 않는 치아)의 이동을 시도할 때, 특히 견치와 제3대구치(사랑니)에서, 여러 가지의 문제점들이 생길 수 있고, 이로 인해 치주적 문제, 재발 또는 치아 상실이 발생할 수 있다.

---

fig. 8-1 매복치 치료의 위험요소들을 설명하는 사전동의서 부분

- 와이어나 체인이 견치 치관의 치경부 주변을 감싸지 않도록 한다.
- 젤 타입의 산부식제를 사용해야 한다 (액체형은 안 됨).
- 노출된 치관에 "K"훅이나 골드체인과 연결된 버튼을 부착한다. 노출된 상태로 두면 견치는 스스로 맹출할 것이다.

교정치료 역학

구개측에 매복된 치아를 치료할 때 오픈코일 스프링을 사용하여 치료 초기에 가능한 일찍 충분한 공간을 얻어야 한다. 매복치에는 항상 약한 힘을 적용해야 한다. 구개측으로 매복된 견치의 이동 시 다음의 치료역학을 사용한다:

1. 매복치가 인접 치근에서 멀어지게 초기 이동시킨다.
2. 치관 협면을 확인할 수 있게 수직적으로 충분히 치아를 세운다.
3. 치관 협면에 버튼을 부착한다.
4. 치아를 적합한 위치로 수평적으로 이동시킨다. 피기백 루프를 사용하여 견치를 정출시키고 외측으로 이동시킨다 (그림. 8-2). 유사하게 0.016 NiTi 호선에 탄성실을 묶는 것은 측방 이동만 얻는다.
5. 0.018 브라켓 슬롯에 17 × 25 SS 호선 사용으로 치아를 안정적으로 배열하여 적절한 협측 치근 토크를 얻는다.

구강 위생
교정치료 동안 세심한 잇솔질은 필수적이다. 약한 힘의 워터픽도 사용한다.

유지

장치를 제거하기에 앞서 치주인대섬유절제술의 필요성 여부를 치주과의사와 상의해야 한다. 필요한 경우 장치제거 전 치유를 허용하기 위해 술후 최소 6주간 교정장치를 유지한다. 매복되었던 치아가 구개측으로의 이동을 방지하기 위해, 유지장치에 설측 스프링을 넣어 치아의 위치를 유지하게 한다.

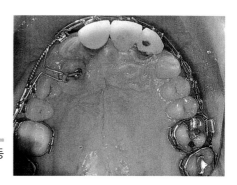

fig. 8-2 구개측에 매복된 견치를 악궁내로 이동
시키기 위한 피기백 루프

고정성 유지장치의 부착도 가능하다. 그러나, 견치의 최종 위치가 적절한 경사와 토크를 가진다면, 고정성 유지장치는 불필요하다.

장기적인 측면에서 고려사항

환자에게 원래의 매복치 위치에 관해 향후 치료받을 치과의사에게 알려줄 것을 설명해둔다. 추가로 치과의사에게 정기적인 치간골 높이의 검사를 요청하도록 한다.

만약 치료의 모든 목표가 달성되었다면, 그 치아의 위치는 장기적으로 안정적이다.

성공률

구개측 매복 견치에 대한 교정치료의 성공률은 80%이다. 나머지 20%는 예측하기 어렵다. 성공은 다음의 요소에 의해 좌우된다:

- 매복치의 위치
- 매복치와 주변치아 치근과의 관계
- 외과적 노출을 시행하는 치주과의사의 숙련도
- 치아 이동을 시행하는 교정과의사의 숙련도

매복치가 있는 환자의 경우 최종 위치 배열 후 종종 유리치은이식 혹은 치주인대섬유절제술이 필요하다는 것을 기억하라.

치료 중 또는 치료 후 발생가능한 문제점

치료 중이나 치료 후에 다음과 같은 상황이 발생할 수 있다:

- 견치 혹은 인접치의 치근 흡수
- 치수 괴사

- 주변 치조골 소실
- 치주낭 형성
- 치아 유착

변위된 치아 Transposed Teeth

치아 변위는 잘못된 위치로 치아가 맹출되거나 원래 맹출 시기보다 늦게 맹출될 때 야기된다. 변위된 치아를 치료할 때 다음의 요소들을 고려하는 것이 중요하다:

- 맹출 정도: 치아가 부분 또는 완전 맹출하였나?
- 관련된 치아: 변위에 의해 어떤 치아들이 영향을 받았나?
- 위치: 변위 치아가 어디에 위치하는가?

치료 선택

변위된 치아의 치료를 위한 3가지 치료방법이 있다.
1. 변위된 치아의 위치를 그대로 유지한다.
2. 치아를 원래의 (이상적인) 위치로 이동시킨다.
3. 변위된 치아를 발치하고 구치부 혹은 전치부 교합을 변화시킨다.

치료 목표

교정치료의 일반적인 목표 이외에도, 변위된 치아를 치료할 때는 교합, 기능 그리고 심미성에 대한 특별한 고려가 반드시 필요하다.

치료 역학

소구치 사이에 맹출한 상악 견치
두 소구치들 사이로 맹출한 견치의 치료를 위한 교정 역학은 다음과 같다:
1. 견치의 전방이동 전에 소구치를 구개측으로 이동시킨다.
2. 원형 호선(0.016 SS)을 사용하여 치관을 경사이동시킨다.
3. 중등도, 그 다음으로 경도의 각형 호선으로 치근을 직립시킨다.

소구치의 치근 토크를 다시 회복하는 것은 때때로 어려울 수 있음을 기억하라.

변위된 하악 견치

변위된 하악 견치의 치료에서 다음과 같은 방법들이 유용하다:

- 견치가 원래의 위치로 이동할 때까지 전치는 호선에 결찰하지 않는다.
- 견치가 원래의 위치로 이동하는 동안 전치가 설측방향으로 힘을 받는 것을 허용한다. 전치는 견치 치관이 제위치에 배열된 후 호선에 결찰한다.
- 견치가 위치 이상이면서 매복되어 있다면 치주적인 치료가 필수적이다. 견치를 노출시키기 전에 제1소구치에서 제1소구치까지 유리치은 이식을 시행해야 한다. 치주인대섬유절제술과 추가적인 치은 이식이 추후에 필요할 수 있다.

그림 8-3은 중절치와 측절치 사이에 있는 변위된 견치들의 치료를 보여준다.

선천 결손치 Congenitally Missing Teeth

선천적 결손치를 치료할 때 관건은 (1) 존재하는 공간을 남겨둘 것인지 또는 더 확장할 것인지, 아니면 (2)공간을 폐쇄하고 다른 치아로 대체할 것인지이다. 이 문제에 답하기 위해 교정과의사는 치료가 심미성, 교합 기능, 연조직 측모, 그리고 교합 안정성에 미치는 영향을 고려해야만 한다.

상악 측절치 결손

공간 형성

상악 측절치를 위한 공간 형성에는 몇가지 장점이 있다:

- 이상적인 견치보호 교합 형성
- 다른 전치들이 주로 전방 이동하기 때문에 연조직 측모가 개선된다.
- 우수한 수복치료를 통해 심미적으로 균형잡힌 미소를 얻는다.

공간 폐쇄

공간을 폐쇄하는 것 또한 몇가지 장점이 있다:

- 영구 견치가 측절치 위치로 맹출했다면 치료는 더 용이하다.
- 브릿지나 임플란트의 필요성이 없다(향후 재수복 역시 불필요).
- 비용이 감소한다.

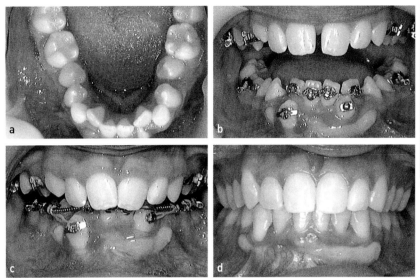

fig. 8-4   견치 대체를 위한 브라켓 선택: 일반 견치 브라켓을 사용하나, 위아래를 뒤집어서 부착한다.

fig. 8-3   (a) 양쪽 하악 견치들이 중절치와 측절치 사이에 위치하고 있다. (b) 외과적 노출과 치은 이식을 시행한 후 변위된 견치들에 브라켓과 버튼을 부착한다. (c) 하악 견치들을 파워체인으로 원심 이동시킨다. (d) 치료 후 5년 뒤. 최종 교합에서 견치들은 정상적인 위치이다.

- 구강위생 문제가 감소한다.
- 연조직 측모의 균형을 해치지 않는다.
- 결손치가 있는 쪽에 제3대구치가 있다면, 맹출하여 기능할 수 있다.

견치 대체

상악 측절치 결손인 경우 선호되는 치료 방법은 견치를 측절치 위치로 이동하는 것인데, 이러한 경우 브라켓의 선택과 부착시 특별한 고려가 필요하다.

브라켓 선택. 견치가 측절치처럼 보이게 만들기 위해서 견치 브라켓 위아래를 뒤집어 토크를 반대로 준다(그림 8-4). 그리고 제1소구치에는 견치 브라켓을 부착한다.

브라켓 높이. 역방향의 견치 브라켓을 정상보다 더 치은쪽에 가깝게 부착해(그림 8-5) 견치를 정출시켜 충분한 교두정 삭제를 가능하게 한다. 또 제1소구치에 부착하는 견치 브라켓은 정상적인 견치 높이(5mm)로 부착한다.

브라켓 근원심 각도. 견치가 좀더 측절치처럼 보이게 하기 위해서, 견치 브라켓의 근원심 경사를 약 3~4° 정도 감소시켜, 좀더 수직적으로 배열한다(그림 8-6).

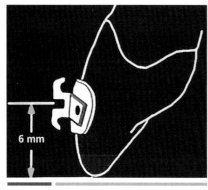 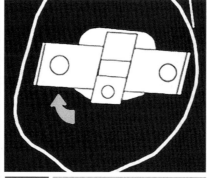 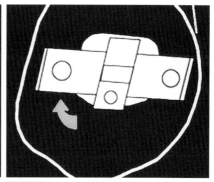

fig. 8-5 견치 대체를 위한 브라켓 높이: 교두정 삭제를 할 수 있게 브라켓을 치은쪽으로 위치시킨다.

fig. 8-6 견치 대체를 위한 브라켓 근원심각: 원심 치근 경사를 3~4° 감소시킨다.

fig. 8-7 견치 대체를 위한 근원심 위치: 브라켓을 정상보다 원심으로 위치 시킨다.

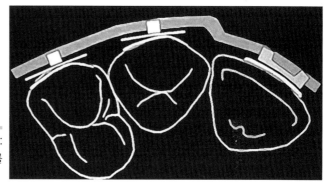

fig. 8-8 견치 대체를 위한 호선 디자인: 중절치와 견치 사이에 옵셋밴드를 준다.

근원심간 브라켓 위치. 견치를 좀더 평평하게 그리고 측절치처럼 보이게 하기 위해 브라켓을 최대 풍융부가 아닌 견치 중앙보다 근심쪽에 위치시킨다(그림 8-7). 제1소구치에 부착하는 견치 브라켓 은 정상적인 근원심 위치에 부착한다.

호선 디자인. 치간 접촉점을 개선하기 위해 중절치와 견치 사이에 옵셋 밴드 (내외측)가 필요하다 (그림. 8-8).

법랑질 삭제. 절단연을 직선으로 만들기 위해 견치의 법랑질을 다듬는데, 이는 하악 측절치와 견 치 설면과의 외상성 교합을 제거하기 위해서(그림 8-9a), 그리고 제1소구치의 심미성 향상을 위해 서이다(설측 교두 삭제) (그림 8-9b). 추가적으로, 견치 교두첨이 길거나 특이한 모양이면 브라켓 부착 전에 삭제하거나 다듬어서 견치와 측절치간의 확대된 절단연간 공극을 없앤다.

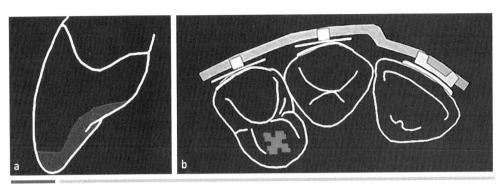

fig. 8-9   견치 대체를 위한 법랑질 삭제: 교두첨과 설면을 삭제하여 측절치의 모양과 유사하게 만들고 (a), 이는 대합치와의 외상을 방지하며, 제1소구치의 심미성을 증가시킨다 (b).

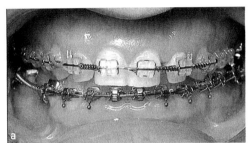
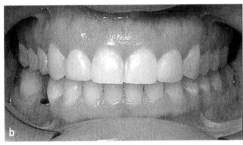

fig. 8-10   (a) 왜소 측절치의 심미 레진수복을 위한 공간의 개방. (b) 심미 수복 후

왜소 측절치

한 개의 측절치가 결손된 경우, 반대편 측절치는 종종 왜소 측절치이다. 왜소 측절치의 치료 시 다음의 요인들을 반드시 고려한다:

- 치관의 크기: 치관이 클수록, 그 치아를 유지하고 크라운 수복할 가능성이 높다.
- 치근의 크기: 치근의 크기가 저작압을 흡수할 정도로 충분한가?
- 치아-악궁길이 부조화: 다른 상악 전치들의 치아크기 – 악궁길이 부조화가 공간의 개방 또는 폐쇄 여부를 결정하는 데 영향을 준다.

치료 역학
교정치료 역학의 선택에는 다음의 내용이 포함된다:

- 심미 레진수복을 위한 공간 개방(그림 8-10)
- 왜소 측절치를 발치하고 공간을 폐쇄
- 하악에서의 인접면삭제를 통해 상악 전방 악궁길이와 균형을 맞춘다.
- 상악 측절치의 각도를 증가시켜 근원심 폭을 증가시킨다.

증례 8-1

➕ 개요

11세 6개월의 소녀는 상악 우측 견치가 구개측에 차단되어 매복 상태였다(그림 8–11a에서 8–11g). 상악 좌측 견치는 협측에 매복되어 있다. 그럼에도 불구하고, 환자는 양호한 1급 골격유형을 보인다(그림 8–11h).

➕ 검사 및 진단

하악에 중등도의 총생이 있었고, 연조직 측모가 3급 경향인 환자의 골격 유형으로 인해 소구치 발치의 필요성도 고려되었다.

➕ 치료계획

매복 우측 견치를 노출시키고 비발치 치료를 시도하였다. 오픈코일 스프링을 이용하여 좌우측 견치들을 위한 적절한 악궁내 공간을 형성하였다. 약 12개월 간 경부 페이스보우를 착용하였다.

➕ 평가

그녀는 진료 약속을 한번도 어기지 않는 우수한 환자였다. 매복된 상악 우측 견치를 단순한 치료 역학을 이용하여 적절한 위치로 쉽게 이동시켰다. 5개월 동안 버튼과 탄성실을 사용하여 치료했다. 차단된 상악 견치를 위한 공간은 코일 스프링으로 만들었다. 총 치료기간은 24개월이었다. 최종 모습은 그림. 8–11i부터 8–11s에 있다.

➕ 고찰

이 증례는 하악 제1대구치에 처방된 –6° 경사가 구치부 교합 형성을 돕는 것을 보여주는 좋은 예이다. 치료 후 30년 뒤, 전체적인 결과는 양호하고, 특히 상악 견치의 위치가 적절하다(그림 8–11t에서 8–11cc). 치근 경사가 부족했던, 하악 전치부에서 약간의 재발이 나타났다.

table 8-1 호선 순서

Archwire	Duration(months)
Maxillary	
0.0175 multistrand	2
0.016 SS	16
16 × 22 SS	2
17 × 25 SS	4
Active treatment time :	24 months
Mandibular	
None	18
17 × 25 multistrand	4
17 × 25 SS	2
Active treatment time :	6 months

table 8-2 개별 힘

Force	Duration(months)
Cerviacl facebow	12
Elastics	
Lateral box Class II	1
Trapezoid buccal	3

table 8-3 계측치

	Initial (mm)	Final(mm)	Long-term(mm)
Maxillary intermolar width (6 × 6)	30.0	32.4	30.0
Mandibular intercanine width (3 × 3)	22.5	24.0	23.4

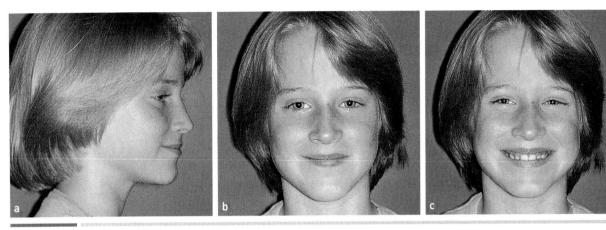

fig. 8-11 a~c 치료 전 안모사진 (11세 6개월).

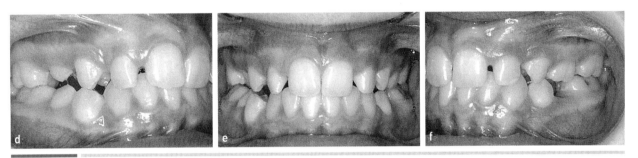

fig. 8-11 d~f 치료 전 구내사진

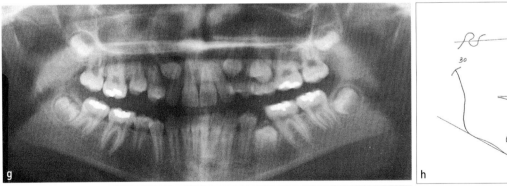

fig. 8-11 g 매복 견치를 보여주는 치료 전 파노라마 사진

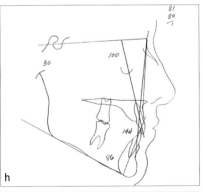

fig. 8-11 h 치료 전 측모두부방사선 사진 트레이싱

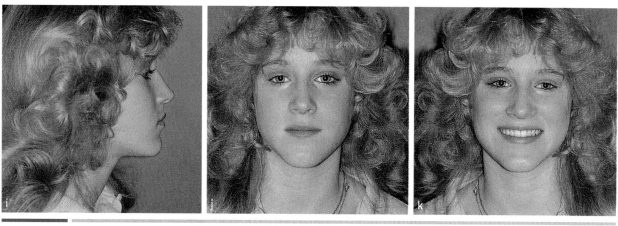

fig. 8-11 i~k   24개월 간의 치료 후 최종 안모사진

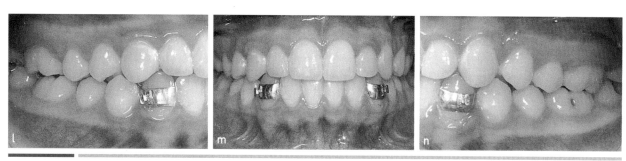

fig. 8-11 l~n   최종 구내사진

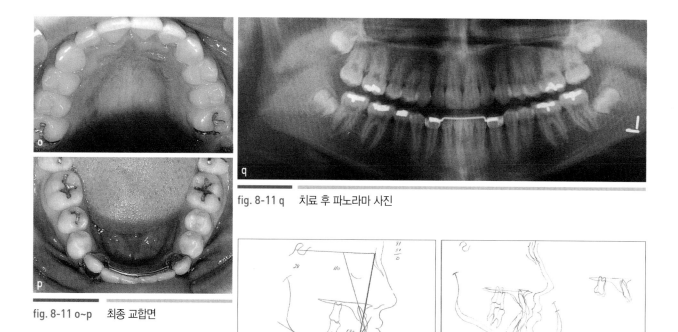

fig. 8-11 o~p   최종 교합면

fig. 8-11 q   치료 후 파노라마 사진

fig. 8-11 r   치료 후 측모두부방사선 사진 트레이싱

fig. 8-11 s   중첩된 트레이싱

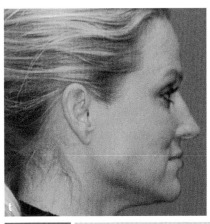
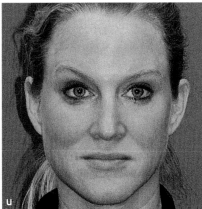

fig. 8-11 t~v   치료 후 30년 뒤 안모사진

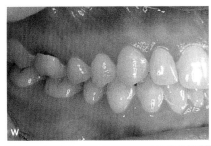
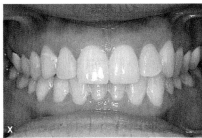
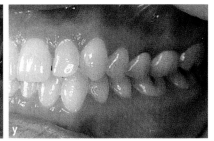

fig. 8-11 w~y   치료 후 30년 뒤 구내사진

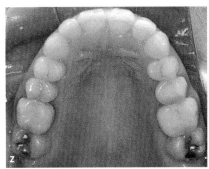
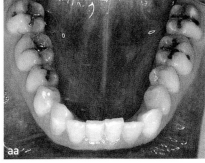

fig. 8-11 z~aa   치료 후 30년 뒤 교합면

fig. 8-11 bb   치료 후 30년 뒤 측모두부방사선
사진 트레이싱.

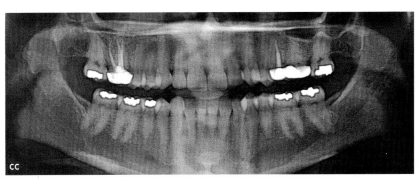

fig. 8-11 cc 치료 후 30년 뒤 파노라마 사진

증례 8-2

✚ 개요

상악 측절치 결손과 우측 제2소구치가 매복을 보이는 14세 소녀이다(그림 8-12a에서 8-12h). 상악 악궁길이부족이 5mm 이었다.

✚ 검사 및 진단

1급 골격 유형으로, 수직피개와 수평피개는 정상이었다. 문제는 측절치 공간을 개방할지 아니면 폐쇄할지 여부였다. 이 증례는 1978년에 치료하였다.

✚ 치료계획

견치 대체를 위해 상악 측절치 공간을 폐쇄하고 하악 제1소구치를 발치하기로 하였다. 코일 스프링을 이용하여 상악 우측 제2소구치를 위한 공간을 형성하였다. 최종 모습은 그림 8-12i부터 8-12q에 있다.

✚ 평가

일반적인 치료 후 경과관찰을 진행하였다. 제 1권에서 설명한 바와 같이 상악 견치의 교합조정이 시행되었다. 치료 후 5년 뒤, 견치간 고정성 유지장치를 제거하고 치간 법랑질 삭제를 하였다.

✚ 고찰

많은 이들이 현재의 임플란트 기술로 이 증례에서 다른 치료 방법을 고려하겠지만, 이러한 장기간 결과(치료 후 31년 뒤)를 능가하기는 어려울 것이다(그림 8-12r에서 8-12y).

table 8-4 호선 순서

Archwire	Duration(months)
Maxillary	
0.0175 multistrand	2
0.016 SS	9
17 × 25 SS	13
Active treatment time :	24 months
Mandibular	
0.0175 multistrand	1
0.016 SS	4
17 × 25 multistrand (second molars)	2
17 × 25 SS	5
Active treatment time :	12 months

table 8-5 개별 힘

Force	Duration(months)
Cerviacal facebow	11
Class II elastics	3

table 8-6 계측치

	Initial (mm)	Fianl(mm)
Maxillary intermolar width (6 × 6)	29.9	29.9
Mandibular intercanine width (3 × 3)	21.9	27.6

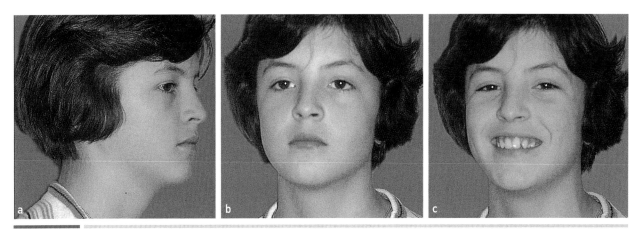

fig. 8-12 a~c 치료 전 안모사진 (나이 13세 11개월)

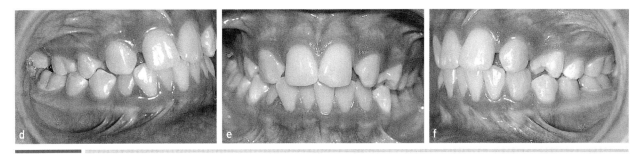

fig. 8-12 d~f 치료 전 구내사진

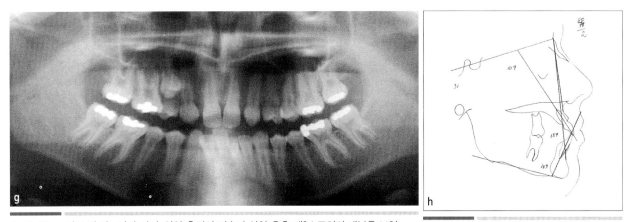

fig. 8-12 g 치료 전 파노라마 사진. 상악 측절치 결손과 상악 우측 제2소구치의 매복을 보임.

fig. 8-12 h 치료 전 측모두부방사선 사진 트레이싱

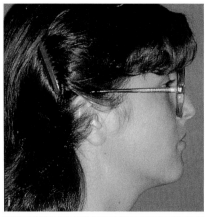
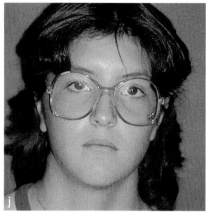

fig. 8-12 i~k   24개월 간의 치료 후 최종 안모사진

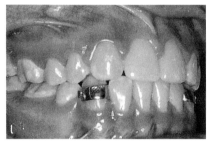
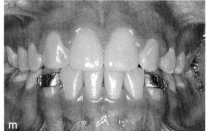
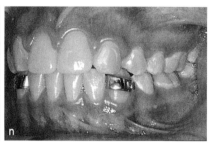

fig. 8-12 l~n   최종 구내사진

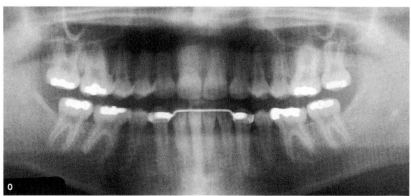

fig. 8-12 o   치료 후 파노라마 사진

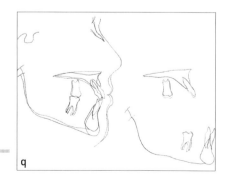

fig. 8-12 p   치료 후 측모두부방사선 사진
트레이싱

fig. 8-12 q   중첩된 트레이싱

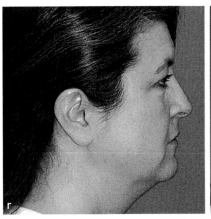
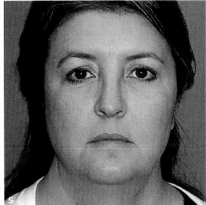
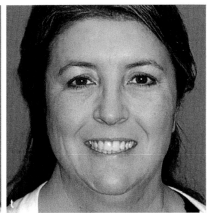

fig. 8-12 r~t   치료 후 31년 뒤 안모사진

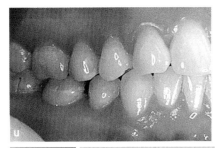
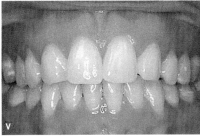
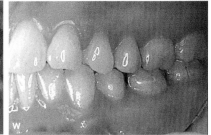

fig. 8-12 u~w   치료 후 31년 뒤 구내사진

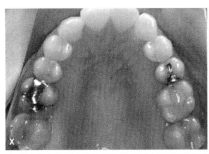
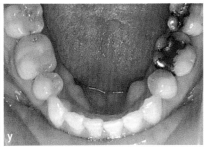

fig. 8-12 x~y   치료 후 31년 뒤 교합면

증례 8-3

✚ 개요

정상적인 1급 골격 유형을 가진 13세 소녀로, 상악 우측 측절치가 결손이었다(그림 8–13a에서 8–13j). 상악 좌측 측절치는 쐐기모양이다(그림 8–13f 참조). 4개의 제2유구치 모두 남아 있었다. 상악 우측 중절치는 이전에 파절된 상태이었다.

✚ 검사 및 진단

E번의 공간을 이용할 수 있었고, 결손된 측절치와 왜소 측절치를 위한 공간의 개폐 여부를 환자의 부모와 상의하였다.

✚ 치료계획

환자 어머니가 측절치 공간의 폐쇄를 원했기 때문에, 4개의 제2유구치와 왜소치를 발치하였다. 3급 고무로 상악 구치를 근심으로 이동시켰다(그림 8–13k에서 8–13n). 추가적으로, 하악 전치는 상당량 직립되었다(그림 8–13o). 수직적 골격 양상 또한 심해졌다. 최종 안모는 그림 8–13p부터 8–13z에 있다.

✚ 평가

기능적으로 2급 부정교합은 허용가능하다. 환자는 악관절 문제를 보이지 않았다. 심미적으로, 환자의 미소는 1988년에 사용 가능한 다른 어떤 치료법으로 얻은 결과보다 뛰어나다.

✚ 고찰

치료 후 23년 뒤, 환자는 양호한 교합, 수직피개, 그리고 수평피개를 보였다(그림 8–13aa에서 8–13jj). 상악 우측 중절치는 현재 크라운으로 수복한 상태이다(그림 8–13ee 참조). 하악 좌측 중절치는 약간 회전되어 있었다. 약간의 치은 퇴축이 상악 우측 제1소구치(견치로 기능하고 있는) 부위에 있었다.

table 8-7 호선 순서

Archwire	Duration(months)
Maxillary	
0.0175 multistrand	5
0.016 SS	3
17 × 25 SS	15
Active treatment time :	23 months
Mandibular	
None	4
17 × 25 multistrand	2
16 × 22 TMA	5
17 × 25 SS	12
Active treatment time :	19 months

table 8-8 개별 힘

Force	Duration(months)
Elastics	
Class III	4
Class III buccal box	6
Finishing	2

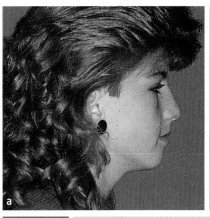
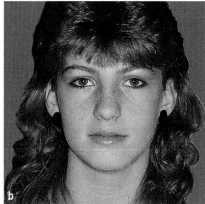
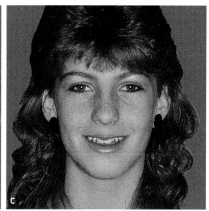

fig. 8-13 a~c   치료 전 안모사진(나이 13세)

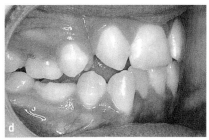
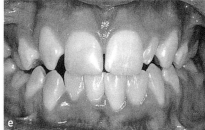
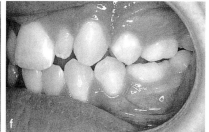

fig. 8-13 d~f   치료 전 구내사진

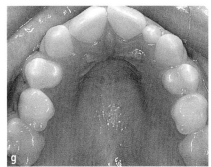
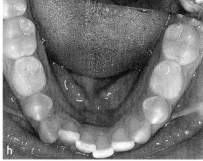

fig. 8-13 g~h   치료 전 교합면

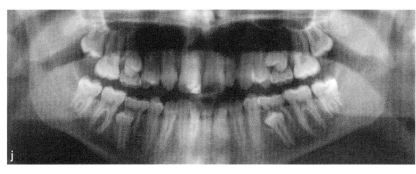

fig. 8-13 i   치료 전 측모두부방사선 사진 트레이싱

fig. 8-13 j   치료 전 파노라마 사진

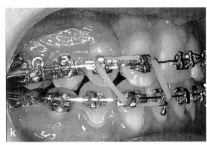
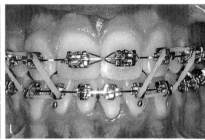

fig. 8-13 k~m 치료 16개월 구내사진: 3급 박스고무와 상하악 17 × 25 SS 호선

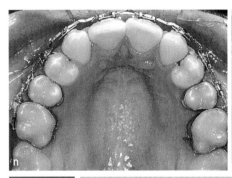
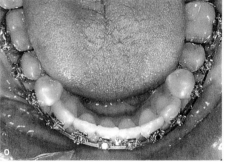

fig. 8-13 n~o 치료 16개월 교합면

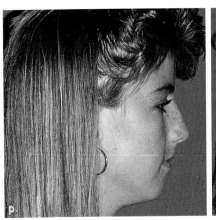
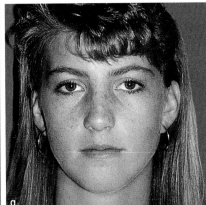
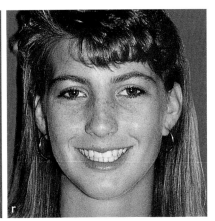

fig. 8-13 p~r 23개월 간의 치료 후 최종 안모사진

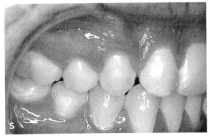
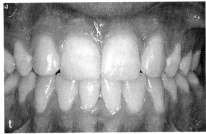
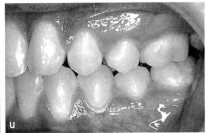

fig. 8-13 s~u 최종 구내사진

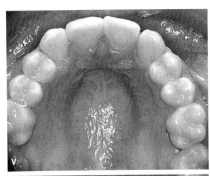

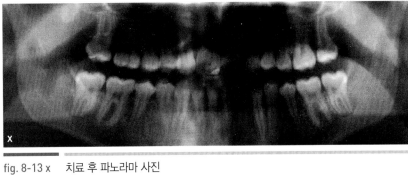

fig. 8-13 x 치료 후 파노라마 사진

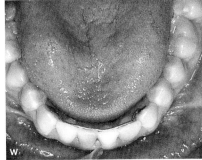

fig. 8-13 v~w 최종 교합면

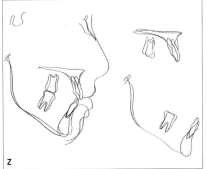

fig. 8-13 y 치료 후 측모두부방사선 사진 트레이싱

fig. 8-13 z 중첩된 트레이싱.

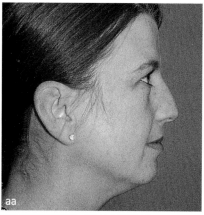
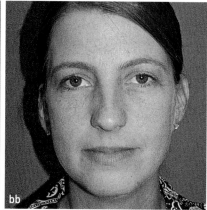

fig. 8-13 aa~cc   치료 후 23년 뒤 안모사진

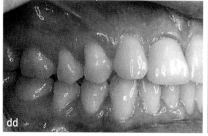
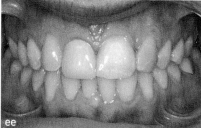
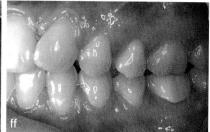

fig. 8-13 dd~ff   치료 후 23년 뒤 구내사진

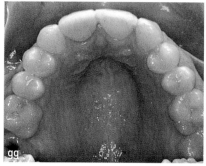
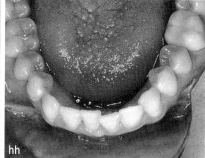

fig. 8-13 gg~hh   치료 후 23년 뒤 교합면

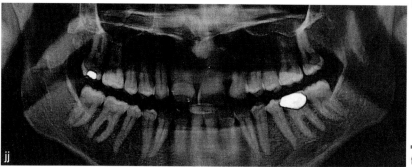

fig. 8-13 ii   치료 후 23년 뒤 측모두부방사선
사진 트레이싱

fig. 8-13 jj   치료 후 23년 뒤 파노라마 사진